ヨーゼフ・ロート

ウクライナ・ロシア紀行

ヨーゼフ・ロート［著］
ヤン・ビュルガー［篇］
長谷川 圭［訳］

日曜社

ヨーゼフ・ロート

ウクライナ・ロシア紀行

長谷川圭（訳）

Joseph Roth
REISEN IN DIE UKRAINE
UND NACH RUSSLAND

Herausgegeben und mit einem Nachwort von Jan Bürger

ヨーゼフ・ロート　ウクライナ・ロシア紀行

目次

一　東からの便り

二　ロシアの風景

三　ソビエトの現実

一　東からの便り

ウクライナブーム　ベルリンの最新流行

ベルリン、一二月一三日

ときどき、ある民族がブームになることがある。以前は、ギリシャ人、ポーランド人、ロシア人が人気だったが、今はウクライナ人だ。

私たち西の人間はウクライナ人についてあまり多くを知らない。知っていることといえば、彼らがカフカス山脈とカルパティア山脈に挟まれた草原と湿地の国で生きているということ、ウクライナ台地は標高が高くて比較的住みやすい土地であったことぐらいだろう。それ以外では、オーストリア人の戦争外交官が素人仕事から結んだブレスト＝リトフスク条約、通称「パンの平和」がウクライナ人と関係していることをなんとなく知っているだけだ。要するに、私たちは「ウクライナ人」という民族についてほとんど何も知らないのである。彼らは人食い人種かもしれない。読み書きができないのかもしれない。人種的には「ロシア人の一種」で間違いなく、宗教的には顎髭を生やした司祭が、金やミルラや香煙を使って儀式を行う原カトリック的な異教を信じている。

このように私たちはウクライナという土地と人についてわずかなイメージしかもっていない。だから惹かれるのである。ポーランド人はもう十分すぎるほど西欧化されている。ギリシャ人についても、映画女優と同じようにギリシャの王も猿に噛まれることがあるという事実を中央ヨーロッパが知って以来、知らないことは何もない。ロシアは数多くのドイツ人が移住したり戦争で捕虜になったりしたので、もはや外国とは思えないため、寄席や喜歌劇《オペレッタ》の題材にはなりえない。残るは「ウクライナ」だけだ。

（かつてのポーランド立憲王国の）ルブリンから移住してきた貧しいユダヤ人がベルリンの東部でたばこ屋を始めたのだが、店の看板にキリル文字で「ウクライナ・オリジナル」と謳っている。さまざまなコーヒー・ショップでは若い女性が最新のアメリカン・ジャズに合わせて踊るのが流っているが、その踊りは「ウクライナ民族舞踏」と呼ばれている。しかし最新の流行は、何といっても〝ウクライナ風〟パントマイムとバレエだろう。

ベルリンは奇妙なほどウクライナ風オペレッタに夢中になっていて、少しでもスラブっぽく聞こえる旋律はすべて「ウクライナ風」と形容される。この流行に火をつけたのはもちろん本物のウクライナ人、正確にはウクライナ合唱団だ。合唱団はベルリンをはじめヨーロッパの各都市で公演を行い、大成功を収めたのだが、それがきっかけで、国家あるいは政治体制などといったものを利用して金儲けができることに人々が気づいたのである。しかもこの流行がある現象を引き起こしている。ロシア、ウクライナ、ポーランドなどの東欧諸国から西欧に移住してきた人々が、ウクライナブームに便乗して自分たちを古い「ウクライナ人」と呼ぶようになったのだ。

したがって、いわゆる〃ウクライナ〃バレエは、タタールとロシアとコサックの要素が少しずつ入り交じったごちゃ混ぜ状態になっている。娯楽産業の目的は民族文化を学術的に研究することではなく、人々を楽しませることにあるので、これを問題視する必要はないのかもしれない。だが、ある民族の芸術を元がわからなくなるほど歪めるのはよくない。それがボリシェヴィキとポーランド人に故郷を奪われた哀れな民族の芸術ならなおさらだ。

訓練が厳しく、本当にすばらしい舞踏芸術を見せることで知られるアイスパラストでは、現在バレエ劇の『赤い靴』が披露されている。この作品はウクライナの伝説にもとづいているとされているのだが、舞台背景に描かれた教会はウクライナ（つまりギリシャ・カトリック教会）のものではなくロシア正教会のものだ。作品のヒロインはロシア風の髪飾りを頭に付けている――ウクライナの女性が髪飾りにするのは花だけで、袖と裾に青と赤の飾りがついた白いブラウスを着る。金刺繍の入ったシルクの上着を身につけることはない。チェルケス人が生活していたのはウクライナではなくカフカス地方。ウクライナの農婦が履くのは短いブーツであり、白いバレエ靴ではない。一部の「ホパック」と「コロメイカ（ウクライナ舞曲）」を除いて、舞台上では基本的にロシア舞踊が用いられている。

ザラザーニ・サーカスでは、ポーランド王の命により裸で馬の背にくくりつけられ、数日間ウクライナの草原を引きずり回されたウクライナ人コサックの英雄にして指導者の〃マゼッパ〃の物語が披露されているのだが、ここでもまたウクライナの歴史がロシア風にアレンジされている。ウクライナの聖職者はギリシャ・カトリック教会に仕え、ロシア正教の司祭のような髭は蓄えない。

ウクライナ舞踏団のグラーゼロフは本当にウクライナ人で構成されているのだが、ウクライナ風を強めるためにあえてナイフを使った踊りを採り入れている——まるでアメリカ先住民だ。彼らはキエフで有名な踊り手なのだが、高い料金を支払った西欧人にはコロメイカは退屈だろうと考え、わざわざ「荒々しい踊り」を見せるのである。実際には、ウクライナ人がナイフを口にくわえて踊ったりすることは決してない。

本物のウクライナの民族芸術はとても特徴的で、ロシア人やポーランド人あるいはタタール民族のそれとはまったく違うものだ。しかしここで興味深いのは、ある国家は国家としての独立を失ったとたんに、喜劇や歌劇あるいは寄席で注目されるようになるという現象のほうである。西欧諸国における舞台の流行のバロメーターともいえるベルリンは、最近ずっと「ウクライナ的なもの」を上演しつづけている。

ロート

『ノイエ・ベルリーナー・ツァイトゥング』一二時版、一九二〇年一二月一三日

ウクライナ少数民族

友へ

君に〃ウクライナ民族〃について書くために、私は今、ウクライナの音楽を耳に、色々な村が映った写真を目にしています。これまでずっと、私は君に感情的な印象ではなく統計的な事実を伝えよう

としてきました。町を描写するときには、そこの雰囲気を表現するだけでなく、住人の数を記すことも忘れずにおこうと努力してきました。でも、うまくいきませんでした。この民族は、自分で統計を取ることが許されず、他の民族によって支配され、数えられ、分類され、「処理される」という不幸を背負っているからです。民族の可能な限りの独立こそが平和締結と領土分割と国家創設の主要原則であったこのヨーロッパで、欧米の地理の専門家が、〝三千万〟もの人口を擁する大きな民族が数多くの少数民族に分割され別々の国として生きることを強いられることを認めるなど、あってはならなかったはずです。（深く考えることはやめて）あえて素朴な見方をして、ヨーロッパでは民族がまるでチェス盤のようにきれいに分割された領域で生きるべきだと考えるなら、なぜ大きな民族の存在をあっさりと忘れてしまったのか、どうして彼らの生きる地域を一つにまとめようとせず、新たに分割することになったのか、全く理解できません。ロシア、ポーランド、チェコスロヴァキア、ルーマニアで生活しているウクライナ人にも、ロシア人やポーランド人などと同じように、自分の国を持つ権利があるのではないでしょうか。しかも、世界の支配者が知識を得るために使う教科書のなかに、彼らに関する記述はほとんどありません――これこそが、彼らの不幸だと言えます。

ご存じのように、現在ウクライナ民族の領地の大部分はソビエト連邦に属しています。ソビエトでは少数民族の自治が神聖なものともみなされるため、ソビエト・ロシア領に生きるウクライナ人は最大の民族的自由と権利を享受していると言えるでしょう。一方、ポーランド共和国では、同国に住むすべての少数民族――白ロシア人、ユダヤ人、ドイツ人など――のなかでウクライナ人とリトアニア人が最も不幸な民族です。いったん分割されていたポーランド国は、突然独立を回復したとき、

（人々の多くはそれがポーランド人の国民性だと非難しますが、むしろ彼らが体験してきた不幸に対する反応からでしょう）自国を単一民族国家とみなし、そのような視点から少数民族を扱うようになったのです。一〇年前にできたばかりのポーランド共和国は、ほかの国家が過去五〇年かけて成し遂げた発展に追いつかなければなりません。

ウクライナ民族はポーランド人に友好的に接しませんでした。東ガリツィアでの敗戦後、戦勝国がウクライナの代表者に対して示した無理解への恨みから、ウクライナ人はポーランド共和国に対してその誕生以来ずっと敵対的に、あるいは少なくとも不信感をもって接してきたのです。この状態は今でも変わっていません。ソビエトの積極的なプロパガンダのせいで、ウクライナ人とポーランド人の関係は今でもぎくしゃくしています。いや、不仲の原因はむしろ、ソビエトが暗に手本を示しているからだ、と言えるでしょう。というのも、最も愚かなウクライナ人農民でさえ、ソビエト・ロシア人によるプロパガンダがなくても、すぐ近くの国境の向こうではソビエト・ウクライナ人が完全な、それどころか大げさと呼べるほどの自治権を享受していることを知っているのですから。また、ウクライナ人の大半はポーランド人の地主に隷属する弱く貧しい農民であるという社会情勢も忘れてはなりません。もしかすると、自分で読み書きができない小作人は、「領主」が彼らを学校や大学に通わせることを拒んだという事実を知らなければ、ウクライナ人のための大学がほしいなどという考えにいたらなかったかもしれません。ポーランド人の地主に対するウクライナ農民の物質的な依存こそが、数十年前まではごくわずかな知識人層しか持っていなかった、ウクライナ民族という考え方が劇的に広まるきっかけになったのです。

本来、この知識人層は大多数を占める農民とは別の世界に住んでいました。別の世界は少し言い過ぎかもしれませんが、少なくとも異なる関心を追っていました。知識人の一部はオーストリアに対するツァーリズム的全ロシア・プロパガンダに屈し、自らのことを「親ロシア」と呼んで、農民の多くをロシアのために確保することに成功しました。今、この「親ロシア派」は絶滅しつつあります。というのは、ロシア国境の外に住むウクライナ人の傾向や流れは、今も戦争前も、常にロシアによって決められているからです。皇帝が支配し、ウクライナ人をウクライナ人ではなく「小ロシア人」とみなしていた時代、オーストリアのウクライナ人の一部はツァーリズムや正教、あるいはロシア文化に傾倒していました。ところが、ソビエトが支配し、ウクライナを国家として認めた今、ポーランドのウクライナ人の一部は共産主義に靡《なび》いています。

　この点を、ポーランドのウクライナ人の政治グループも見逃していません。ウクライナ民族による大きな市民政党「UNDO（ウクライナ国民民主同盟）」やそれよりもさらに重要な「ウクライナ急進社会党」ができた事実がその証拠ですが、それよりもさらに特徴的な出来事を手短に紹介しましょう。私が自分の目で見た現象です。ウクライナ知識人層の若者の多くが、ソビエト・ロシアおよび共産主義に共感しているのです。彼らのなかから最も熱心な扇動者が生まれ、貧しい農民たちを説き伏せている。結果として、ソビエトに友好的なウクライナ農民の数は増えつづけ、彼らは社会革命による民族の解放を望んでいます。彼らにとって、革命と解放はどちらも等しい価値をもつ目標なのです。ポーランド国がウクライナ人に対して今後も数多くの反逆罪をでっち上げつづけるようなことがあれば、ウクライナ民族の市民たちのソビエト・ロシアに対する共感はさらに強くなるでしょう。

親愛なる友よ、君がここまで辛抱強く読んでくれたことを願っています。ウクライナ人のいわゆる「国民性」をいくつか紹介するような厚かましさを私は持ち合わせていません。ただ、あるポーランド人の友人がウクライナ人について話した言葉をここで紹介しておきます。ただし、私も彼と同じ考えだ、というわけではありません。彼はウクライナ人を、頑固で、人の言うことを聞かず、がさつだ、と言います。ウクライナ人の知的指導者や政治家は「田舎の写真家のような場違いな優雅さ」と「半可通の狂信者特有の凝り固まった性格」をもっている、と。これほどはっきりとした皮肉は口にしなくても、同じようなことを言う人には何度も出会ったことがあります。

では、私はウクライナ人について何を知っているでしょうか？　あまり多くはありませんが、夏に行われたギリシャ・カトリックの祝日のことをよく覚えています。村を見下ろす丘の上に、緑の墓地に囲まれた白い教会がありました。銀色の金属でできたドームの頂点で金の十字架が輝いています。目の上に手をかざすと、鐘楼のなかで大きな鐘が、そしてその左右で小さな二つの鐘も揺れているのが見えました。背の低い小屋の分厚く密な藁葺き屋根の上に日がさしかかり、まるで太陽がたくさんの層に積み重ねられているかのように見えたものです。教会の入口の前に立つと、平らな土地にまっすぐな道や曲がりくねった道が、さらに遠くのほうには二つ目の村、そして三つ目の村も見えました。すべての村から――教会のない村からも――人々がやってきていました。農家で暮らす女性たちは白い服の上に緑や赤や白の前掛けをつけて、男性たちは黄色い大きな麦わら帽子をかぶり白いシャツを着て短めの黒いブーツを履いています。女性は高い編み上げ靴の紐を結んで肩にかけ、裸足で歩いていました。世界は光に満たされ、青い空は遥か彼方で銀色に変わり、まるで地球全体を包み込むかのよう。すべてが澄んでいて、秘密も、曖昧な色も、心配事もありません。教会前にいる物乞いでさえ、鮮やかな茶色の布に身を包み、腕や脚を失った人々も、身体に欠ける部分がありながらも完全な人物に見えたのです。

私はその光景を、まるでガラス瓶に保存しているかのように忘れることができません。そしてこの光景こそが、ウクライナという土地を端的に示す特徴だと信じています。もし、君がここにいれば、私は君にウクライナの民謡を歌って聴かせることでしょう。私がヨーロッパの東で聴いた最も美しい歌を。大地の草や手に鎌をもつ少女たちなど、自然と日常をモチーフにした単純な歌を。彼らが身につけるシャツの襟や袖口に見られる茶色っぽい深い赤と雷雲のような暗い青が交差するギザギザ模様も、同じように単純で美しい。

まだ鉄道を見たことがないウクライナの農民の一人が私にこう言ったのを覚えています。「鉄道を使うあなたよりも私のほうが到着するのは遅いが、そもそもあなたが目指すところに私は行こうと思わない」。小さな茶色い顔の男でした。話すとき、目を閉じるのです。まるで、話すときに何かを見るのはもったいないことであるかのように。

もしその気があるなら、このわずかな記憶から「民族の特徴」を導き出して私に教えてください。この民族は革命以後のロシア民族よりも、そして(昔からずっと)ポーランド民族よりも、文明から遠く離れて暮らしているのです。無知で、貧しく、そして美しい。

機会があれば、彼らの文学について報告します。

敬具

リヴィウ

ヨーゼフ・ロート

八回連載「ポーランドからの手紙」第六回、『フランクフルター・ツァイトゥング』一九二八年八月一二日

都市の特徴について書く、というのは思い上がった行為だ。都市にはたくさんの表情やムードが、あまたの方向性が、さまざまな目的がある。暗い秘密も、明るい秘密もある。都市は多くを隠し、多くを明らかにし、それ自体が一つの統一体であり、同時に多様性の宝庫でもある。どのジャーナリストよりも、どの人間よりも、組織よりも、国家よりも長生きする。さまざまな民族がやってきては去っていく。彼らがいるからこそ、都市は存在でき、そのときどきの支配者が使う言葉が都市の言語となる。都市の誕生と成長と死をつかさどる法則は数限りない。それらを分類することも、規則性を見いだすことも不可能だ。例外的な法則ばかりなのである。

建物を描写することはできるだろう。通り、広場、教会、町並み、正面玄関、駐車場、家族の様子、建築様式、住民グループ、官庁、記念碑などについて説明することはできる。しかしそれらを書き連ねたところで、都市の本質を言い表したことにはならない。測定した数値をいくつか並べたところで特定の地域の気候が想像できないのと同じことだ（ベルリンでは一五度ぐらいでも凍えそうになる）。空気に漂う色、におい、密度、親しみなどを文章で表すことができれば話は別だろうが、それらを的

確に表現する言葉は存在しない。だから「雰囲気」と呼ぶしかないのだ。たとえば、ザワークラウト（キャベツの酢漬）のにおいがぷんぷんする町がある。そんな町ではいくら見た目をバロック建築で飾り立てても意味がない。ある夏の晩、私は東ガリツィアにある小さな町を訪れた。ユダヤ人商人やルテニア人職人、ポーランド人の役人が住む町で、大通り沿いにそっけない家が並んでいる。歩道はでこぼこで、車道はまるで山脈のよう。下水道も不完全なものだった。細い路地では赤の縞模様や青いチェックの洗濯物が干されている。いかにもほこりっぽそう？　かび臭そう？　タマネギのにおいがしていたに違いない？

　とんでもない！　大通りはまるでパレードだった。いかにもそれが当然のことのように、男たちは誰もが飾り気はないがとても優雅な衣服に身を包み、若い女性たちはみなツバメのように軽やかに、そして優美に通りに繰り出している。物乞いさえ明るい表情で上品に施しを求めてきた――私に声をかけなければならないのが申し訳ない、と言いながら。耳を傾けると、ロシア語、ポーランド語、ルーマニア語、そしてイディッシュ語が聞こえてくる。まるで大きな世界の小さな縮図のようだ。その町には博物館も劇場も新聞もない。代わりに、知識人、作家、宗教家、あるいは神秘家、ラビ、大商人などをヨーロッパ全土に送り出した「タルムード・トーラー学校」の一つがある。

　この町で、偶然出会った一人の教師が私に話しかけてきた。「ドイツから来たのですか？　水銀から金を取り出す方法を見つけた教授の話を聞かせてください。金を取り出したあと、何が残るのでしょう？　水銀には金のほかに何が含まれているのですか？　考えずにはいられないのですよ。時間ならたくさんありますから、話してください。もしじゅうぶんな財産があれば、すぐにでもドイツへ行って、自分で調べるのですが。気になってしかたがない！」。本当にそう言ったのである。次のドイツ人訪問者と出会うまで、彼は二年は待たなければならないだろう。

東ガリツィアの小さな町にそのような人々がいるのだ。彼らなら、大きな都市に住んでも、きっと繁栄できるだろう。しかし、大きな都市など存在しない。東ガリツィアには都市が一つしかない。リヴィウだ。

リヴィウには、私はいわば勝者として二度訪れたことがある。危険な状況だったと言えなくもない。というのも、リヴィウは長年にわたり「後方基地」だったのである。オーストリア軍、ドイツの野戦新聞、数多くの軍事局、帝国人材事務所、「将校のためのまかない所」が利用していた。また、憲兵隊、「斥候および諜報部」、オーストリアおよびドイツの捕虜収容所、病院もあった。従軍記者もいたし、伝染病が流行ったこともある。そこには戦争があった。そして戦争よりももっとひどい副作用があった。なぜなら、副作用のほうが戦争よりも長く続くからだ。オーストリア支配体制の崩壊後この都市の覇権をめぐってポーランド人とルテニア人が戦い、この都市でいわゆる「（一九一九年）一一月ポグロム（ユダヤ人迫害暴動）」が勃発した。そして現在でも、リヴィウはいまだに後方基地の面影を保っている。

かつて、目抜き通りは支配者への忠誠を示すために「カール・ルートヴィヒ通り」と名付けられていたが、今は改名されて「義勇兵通り」と呼ばれている。ポーランド人部隊のことだ。かつて、この道をオーストリアの将校たちが行軍した。今では、ポーランド人将校たちが歩いている。これまでずっと、ドイツ語とポーランド語とルテニア語が使われていたが、今はポーランド語、ドイツ語、ルテニア語の順になった。通りの終わりにある劇場の近くに住む人々はイディッシュ語を話す。その辺りでは昔からイディッシュ語が使われていたのである。おそらく、これからもずっとそうだろう。

近年の歴史的発展を通じて自信と力を付けてきたポーランド人がこの多言語文化に抵抗しはじめているが、彼らにそのようなことをする権利はない。若くて小さい民族は敏感なものである。大きな民族も敏感になることがあるのだ。民族的言語的統一は大きな力になる可能性がある。しかし、民族的言語的多様性は例外なく大きな力だ。この意味において、リヴィウはポーランドという国家を豊かにする存在なのである。多様化がまだ始まっていない東欧において、多彩なリヴィウは貴重な土地なのだ。この都市は赤と白、青と黄色、そして少しの黒と黄色で彩られている。そのような都市が一つぐらいあっても、誰も文句は言わないだろう。

カラフルではあるがけばけばしくはなく、目に刺さることもなく、煩わしく感じることもない。バルカンの東方の都市、たとえばバルカン以上にバルカンぽいブダペストのような押しつけがましい派手さは微塵も感じられない。リヴィウの豊かな色彩は、早朝目覚めたばかりの半覚半睡のような状態。いわば、若々しい多彩さなのである。干し草の香り漂う道を、かごを積んだ荷馬車に乗って若い農婦が走って行く。男が操る手回しオルガンからは民謡が聞こえてくる。車道に散らばるのは藁と籾殻。パリからやってきた最新の香水の香りを漂わせ、「工芸品」と呼びたくなるような衣服を着た婦人たちが菓子屋に向かう。ふと脇道に目をやれば、絨毯をはたいている人がいる。

通りの中央に立つのはポーランドを代表する偉大な詩人アダム・ミツキェヴィチだ。東欧ユダヤ人が商店の護衛として徒歩で巡回している。右肩に袋を担いだ男性が悲しげな抑揚で「買っとくれ!」と叫んだ。その叫び声を気にもとめずに、いかにも軍人らしい痩せた騎兵が、曲がったサーベルをがちゃがちゃいわせながら、馬に拍車を小刻みにかけて通り過ぎていく。ガチャガチャ、カタカタ、行進曲に包まれて騎兵は男らしく優雅に進んでいくが、それでもとても平和なのだ——まるで携えているのはサーベルではなくただの傘であるかのように、大勢の商人たちのあいだをかいくぐって進む。商人たちは何事もなかったかのように、世界政治について話し合いながら商売を続ける。ここでは軍でさえ、こんなに民主的なのだ。私は胸に勲章やリボンをたくさん付けた中尉を見つけた。その手には漬け物が入ったグラスが握られていた。妻の買い物に付き合って、買い物かごをもっている。そのようなこの上ない人間性、個人、家庭への傾倒が、拍車の音や勲章などによる戦争ムードを打ち消している。ほかの都市なら、漬物は中尉夫妻の三歩後ろを歩く「召使い」が持ち運ぶのが普通だろう。だが、中尉もただの人間であるというところを見るのも、たまにはいいものだ。

リヴィウは民主化の方向に進み、より単純に、より人間らしくなっていく。その際に一役買っているのが、この都市の国際性だと思える。公平さを当然のこととして受け入れる気持ちがあるからこそ、ほかの種類の人間と交わることができる。〝多様さ〟を受け入れるなら、形式にこだわってはいられない。ここでは宗教でさえ篤く慕われている。古い大教会は、神聖な目的だけにとどまらず、人々に広く門戸を開いている。民衆は信心深い。大きなシナゴーグの横ではユダヤ人たちが盛大に商売を営んでいる。シナゴーグの壁に寄りかかりながら。教会の正面入口では物乞いたちが腰を下ろしている。もし神がリヴィウを訪れたなら、「義勇兵通り」を歩くことになるだろう。

通り、広場、家屋、どこも居心地がよく、それぞれの使命や義務をまっとうしている。柵の奥の宮殿、階段を上ればたどり着ける公共建築物——どこを見ても人が行き交っている。厳格な形式が民族特有の形で緩まっていく。厳格さの緩和は無秩序、ゆっくりとした破壊、致命的な混乱につながる。そこにはたくさんの法則がある。法則に違反することが——暗黙ではあるが——最大原則だ。古くからの「オーストリア的怠慢さ」が、スラブ的な哀愁を漂わせるさりげなさで、きちんと受け継がれている。

「ローマ」という文学喫茶がある。上流市民の憩いの場だ。ここでもまた、古くから根付いているものと新しい流れの境界が曖昧になっている。有名弁護士の息子にして舞台監督で文筆家でもある男が常連客だ。でも、そのすぐ横のテーブルには、文学に無縁な彼の親族が座ることもあるだろう。境界線はほとんど見えないぐらい薄いチョークで引かれている。

リヴィウは境界が曖昧になった都市なのである。旧帝国の東の果て。リヴィウを越えればそこはもうロシア、もう一つ別の世界が始まる。リヴィウよりもはるかに西にあるクラクフのほうが、オーストリアっぽさは少ない。リヴィウはずっと民族の宝庫だった。ウィーンとリヴィウのあいだには、以前同様ラジオによる文化交流が今も続いている。ブカレストもこれに加わった。変革により、ガリツィアの都市は少しばかり東に勢力を伸ばした。東にとっては、それでよかったのかもしれない……。

三回連載「ガリツィアの旅」第二回、『フランクフルター・ツァイトゥング』一九二四年一一月二二日

障害者の葬列

リヴィウで有名なある人物が埋葬された。ポーランド人の身体障害者だ。彼の衝撃的な、そして英雄的な自殺は世界中の新聞で報道された。この障害者は同志たちとの会合の席で自分たちの困難な境遇について語り、ポーランド共和国万歳と叫んだあと、自らの頭に銃弾を撃ち込んだのである。演壇の前で絶命した。

どんよりとした空が手で触れられるのではないかと思えるほど低く垂れこめているのに、それでも神はいつもよりずっと遠くにいる、そう思えるほど重苦しい日に埋葬は行われた。町の障害者全員が葬列に加わっていた。五体満足でない者、人の形をなしていない者がそこにいた。足を引きずる人、目が見えない人、腕がない人、脚がない人、麻痺した人、震える人、顔を失った人、背中の曲がった人、腺病を患う人、恋煩いの人、知性を失った人、口のきけない人、耳の聞こえない人、記憶をなくして自分が誰かもわからない人、まだ名前もないような病気にかかった人、英雄的行為の末に身体の自由を失った人。

自宅に残った障害者は一人もいなかっただろう。足を引きずってでも、這ってでも、身体のまったく動かない者は大きなトラックの荷台に横たわってでも、葬列に参加した。遠い東ガリツィアのリヴィウで葬儀が行われたことが残念でならない！　彼はヨーロッパの真ん中、たとえばジュネーブで埋葬されるべきだった。そこに外交官や将軍たちを招待するのである。

なぜなら、それはほかのどこでも見たことのない貴重な葬列だったからだ。ポーランド人身体障害者は全世界の戦争負傷者の代表であり、彼らこそ国際的な戦争被災民族なのである。彼らに共通する特徴は、本来そこにあるはずの何かがないこと、人間を人間たらしめている特徴が吹き飛ばされたことだ。

これまでの歴史で、私たちはいくつもの集団墓地を見てきた。穴を埋める土から突き出る腐敗した手、鉄条網に引っかかった脚、仮設便所脇に転がる頭蓋骨も見たことがある。しかし、歩く廃墟を、動く瓦礫を、のたうつ残骸を見たことがあるだろうか？　行進する病院を、断片の大移動を、残り物の行列を見たことがある者がいるだろうか？

この葬列がまさにそれだった。数千人の障害者が、かつての軍隊の行進のように、二本の列をなして霊柩車の後ろを歩いていた。列の先頭には手足の不自由な者たちがいた。およそ二〇〇人ぐらいだろう。悲惨な行列だった。軍国主義のなれの果て、グロテスクな隊列がそこにあった。兵士が鳴らす健全で一定したリズムとは異なり、でこぼこに舗装された道をたたく松葉杖が奏でる木と石の不規則な音楽が聞こえてくる。合いの手を入れるのは、義肢の関節のきしみ音だ。病人は喉から咳払いやうめき声、あるいはピーという甲高い音を発している。あとに続くのは目の見えない人々。彼らは漆黒の世界を手探りで前進する。四人全員が手をつなぎ、互いが互いを導きながら。道を間違える心配はない。誰かにぶつかる恐れもない。なぜなら、死と死者が道を切り開いてくれるのだから。彼らは眼鏡も眼帯も外していたので、出っ張った額の下に空っぽの眼窩が見える。まるで骨のアーチの奥に広がる深く恐ろしい無人の洞窟のようだ。杖や金属棒の響きに混ざって一定したリズムのすり足の音が聞こえてくる。

ほかにも、共通する運命を背負う者たちが集まっていた。盲人の後ろを片腕の人々が歩き、その後ろに両腕を失った人々が続く。その後ろは頭に傷を負った人々だ。続いて大きなトラックが一台。その光景があまりに強烈なため、トラックの騒音は聞こえてこない。視覚が聴覚を上回る。音のない叫びが耳を麻痺させ、車輪の音をかき消してしまう。

その車は、まるで今まさに恐ろしい地獄から戻ってきたばかりであるかのような様相だった。顔全体がぽっかりと開いた赤い穴のようになった男が立っている。穴を囲むように白い包帯が巻かれているが、耳があった場所にも赤っぽい窪みが見える。ほかにも肉と血の塊が、手足を失った兵士が、制服を着て袖を背中で結んだ胴体が並んでいた。恐ろしくもなまめかしい光景だ。脊髄を損傷した者たちが、まるで折りたたみナイフのようにくの字に曲がった格好で荷台に座っている。糸で束ねた骨のように見える指を空中にあげていつまでも振り回している男たちがいた。顔を右か左にずっと向けている人々や、頭を付け間違えたのではないかと思えるほど後ろを向いている人々も。彼らにとっては後ろが前だ。まるで過去の惨劇に魅了され、体験した恐怖から目が離せなくなったかのように、ずっと後ろを眺めつづける。赤、腐肉、流れ出る脊髄、折れた首——すべてが入り交じった夢のような光景だった。荷台のいちばん後ろには恐怖の大王が座っていた。その男性の首はまるで伸ばしきったアコーディオンのように長くて数多くのしわが見える。車が大きく揺れるたびに頭が後ろにずれ落ちるたびに、帽子が後ろにずり落ちる。頭はまるで、しおれた皮膚の鎖でつながれたカボチャのようにぶらぶらしていた。

車の後ろを歩いていたのは白痴になった人々だ。彼らは五体満足で、目も鼻も耳も足も手もある。ただ、知性だけをなくしてしまった。自分たちが何をしているのか、どこに向かっているのかもわかっていない。兄弟のように皆、破滅的な無を経験した。彼らの顔はどれも黄色いゼロのようで、口を半開きにして微笑んでいるように見える。そうやって、彼らは死者を、世界を、道を、家屋を、野次馬たちを知性のない頭であざ笑うのである。

そう、人々は足を止めてじっと動かずに葬列を眺めていた。雨が降りはじめた。人々の多くは傘を携えているのに、誰も開こうとしない。雨脚が強まり、風が出てきた。白いシャツを着て、鈍く光る金属の十字架をもった少年の前に葬列がさしかかったとき、頭上に暗く重苦しい大きな雲が垂れ込めた。傷だらけの人差し指のようなその雲の先端が、葬列参加者たちに墓地への道を指し示していた。

三回連載「ガリツィアの旅」の第三回、『フランクフルター・ツァイトゥング』一九二四年一一月二三日

二　ロシアの風景

トコジラミと過ごした夜　カルパチア・ロシア、五月

「昨夜、シラミを見つけたから、すぐに殺したんだ」――「そうか、殺せてよかったな」――「よくないよ。そのあと、お悔やみを述べるためにたくさんのシラミがやってきたからな」

「おい亭主、ベッドにシラミはいるのか?」――「ベッド以外に、どこにシラミがいるっていうんです?」

古くから伝わるジョーク

戦争を通じて、私たちはたいていのことには慣れてしまった。戦場で飛び交うのは弾丸だけではなく、ノミも飛び跳ねている。頭に弾を打ち込まれるよりは、ケジラミに悩まされるほうがよほどマシだ。兵站基地の食物庫を走り回る小さなネズミは、愛くるしい同居人。少し騒がしい部分もあるが、彼らが披露する踊りを眺めていると愛着さえ湧いてくる。

そのような礼儀正しい小動物たちを、いまいましい無慈悲な吸血シラミと比較するのはとんでもない話だ。悪魔の姑のほくろに足が生えたかのような平べったいこの生き物には、血も涙もない。

ロシア・カルパチア地方の村落で一夜を過ごしてからというもの、私は動物の友として知られる心優しいアッシジのフランチェスコに一度会ってみたいものだと思っている。好物の人間の血を吸うために集まってきたトコジラミに神聖な眠りを妨げられたら、フランチェスコでもこの生き物を呪ってしまうのだろうか？

疲れて凍えた体を横にして、眠りに就こうとする至福の瞬間……あらゆる隙間から、額縁から、足の生えたほくろが群がってくる。愛する女性のほくろなら賛美することもできるのに、このほくろは話が別だ。

眠りに落ちたころに、私は体をかきむしりはじめる。もうろうとした状態でもう一度ひっかく。三回目に掻いたときには目が覚めてしまい、始まったばかりの睡眠が終わってしまったことに呆然とする。明かりをともす。足首にトコジラミが張り付いている。さあ、どうする？ 吸血鬼を床に払い落とし、スリッパで踏み潰すのみだ！ でもすぐに仲間が弔いに集まってくる。

彼らは壁に張り付いている。釘のふりをしているから、よほどよく見ないと気がつかない。マッチに火をつけて近づけると、秋の木の葉のように赤いシラミが舞い落ちる。壁に焼け跡を残して。

見ろ、枕の上にも一匹いるぞ。火事になるのがいやなら――本当はそれがいちばん手っ取り早いのだが――ネクタイピンで枕を突き刺すしかない。プチッと音がして、虫から血があふれ出る。おそらく私の血も混ざっているのだろう。これも輸血と呼ぶのだろうか……。死骸をはたき落として――このときのにおいを私は決して忘れないだろう――もう一度ベッドに横たわる。そして布団を掛けて、明かりを消して……さあ寝るぞ！

だが仲間たちの復讐が、文字通り血なまぐさい報復が始まる。私も無抵抗ではいられない。勝ち目のない戦いだ！　夜空に瞬く星のように、彼らは数に限りがない。対する私はたった一人。私は彼らにこの上ない嫌悪感を覚えているが、彼らは私にまったく臆していない。

一匹退治したところで、ほかのシラミは攻撃の手を緩めない。私は力が抜けていく。もう食い尽くされてもいい！　神よ、お願いします、もしこのまま死んだなら、奴らを動物の楽園から追放してください。

どうやら熱が出てきたようだ。全身に赤い斑点、咬み傷、湿疹が広がる。ペストかもしれない。私にはどうでもよかった。

すべての罪を償います、行儀よくします。でも今回だけは、腹を上にしてひっくり返ったトコジラミが――まるでフランツ・カフカの『変身』のように――足をジタバタさせて苦しんでいるのを眺めながら、ざまあ見ろと喜ぶのをお許しください。この虫は苦しんでいるのかもしれない。でも本当に苦しいのは私のほうなのだから。

私は寝間着を足首に巻いて靴紐で固定し、テーブルクロスで顔を覆った。明かりはつけっぱなしにしておく。こうなったら我慢比べだ。

私はもう限界で、怒りと孤独で泣き出しそうだったのだが、虫たちにみっともない姿を見せるわけにはいかない。

「ひ弱な人間だな」と一匹が耳元でささやいたが、おしゃべりをする気にはなれなかったので「シッ！」と怒鳴りつけてやった。そいつは私の言いたいことを理解したようで、血を吸うことに専念した。

ようやく朝がやってきて、大宴会が終わった。私のゲストたちも満足したようだ。私は眠りに落ち、ひどい夢を見たあと目を覚ましたが、責め苦と虐待のせいで昨夜よりも疲れていた。私はイラクサにかぶれたように見える全身の皮膚を脱ぎ捨てたかった。

ロート

『ノイエ・ベルリーナー・ツァイトゥング』一二時版、一九二六年五月一一日

レニングラード

1

ある寒い日曜日の朝、私はレニングラードに到着した。空気がガラスでできているのではないかと思えるほど凍てつく朝だった。通りは雪で覆われていた。片側は光に照らされた白い雪、反対側は影の下の暗い雪。歩道脇に吹きだまった雪が、山並みさながら歩道と車道を分けていた。国境線のようだ。高らかにベルを鳴らしながらそりが通り過ぎていく。道行く人々はハァハァ言いながら、歩きにくそうに雪を踏みしめる。防寒靴《ガロッシュ》のゴム底に踏みつけられるたびに、雪は苦しそうに叫び声を上げた。

人々の口と鼻の両方から呼吸する音が聞こえてくる。どの顔の前にも小さな雲が、そりを引く馬の頭の前には大きな雲ができていた。青白い空の高みで寒気がしんみりとささやき歌っているようだ。しかし痛みの歌ではない。冷たい痛みへの冷たい喜びの歌なのだ。この冬空の下に広がる目に見えない寒気の歌は、夏空の下で目に見えないヒバリが絶えず発する甲高い声とはまったく趣が違う。日差しはとても強かったが、太陽を直接見ることもできた。むしろ、雪のまばゆさよりも太陽の白い輝きを見るほうが、目が休まるぐらいだ。夏に空を見たあと、目を休ませるために地上の緑に視線を向けるのと同じように、雪の白で痛む目を落ち着かせるために、私は空の青を眺めたのだった。雪は太陽のようにまぶしく、太陽は雪のように優しかった。太陽が寒さを、雪が暖かさを発しているように感じられた。気温は氷点下二八度。諸刃のナイフのような寒気が鼻の前にある。細い針でできた鋭い炎が耳を焼く。血液が体内を駆け巡っているのが感じられる。発熱するのに必要な速度で。寒いからではなく、血が急かすからどうしても歩みが速くなる。ありとあらゆる生き物が歩みを速めていた。人々が互いにぶつかりそうになりながら通り過ぎる。しかしぶつからないのは、それぞれが寒気の壁で守られているからだ。そりが走っている。ときには自動車も猛スピードで通り過ぎていく。小さな馬のくびきに取り付けられた金具が音を立てる。さまざまな音が混ざり合って旋律を奏でていた。聞こえてくるのはもはや個別の音ではなく、音からなる音楽だった。

一方、動かないものはいつもより二倍も不動に見えた。建物、橋、売店、街灯は永遠にそこに居つづけるために建てられたかのようで、ピラミッドのように永久に変わらないのだろうと思える。それらの影でさえ、もはや光の遊びではなく、白い雪の上に描かれた、太陽の位置とはまったく無関係の暗い模様だった。レニングラードにはほかの町の賃貸住宅と同じぐらいの数の宮殿があるが、それらもこの日の朝はいつもより二倍も堅固に見えた。建てた者が授けた耐久力に加えて、光がいくつかの宮殿にさらなる不動感を与える。まるで、そうでもしなければ、固めた土台にもかかわらずそれらが動き出そうとしているかのように。動くものの速さと動かないものの永遠の不動のコントラストに、私はいつになく魅了された。とても刺激的で、速さの魔法と不動なものの尊厳を同時に観察するために、目を酷使しなければならないほどだった。道路脇に立つ建物は永遠の象徴。先を急ぐ人、車、馬は永遠の変化と命のはかなさの典型だ。成長と衰退の気の毒なほどのめまぐるしさと永遠の力の無慈悲さが繰り広げる魅力的な芝居を私は見た。

それが私とレニングラードの初めての出会いだった。これが、欧州を広く支配したピョートル大帝がアジア進出の拠点とするために建都し、彼以前の支配者のように石の像を立てるのではなく、巨大な帝国のはしっこに居城を構えた都市が私に見せた姿だった。例えるなら、船長が船の舳先に船橋をつくらせるような話である。この都市を建てたピョートル大帝は永遠なるものに執着していた。自分の死体を棺に入れて二百年にわたり保管させたほどに。革命後に棺を開けた人々は、完全な状態で横たわっている大帝を見て畏怖の念を抱いた——かつて生前の彼の姿を見た人々と同じように。

2

翌朝、寒さは和らいでいた。代わりに川から湧き上がる霧にあたりは包まれていた。雪はまだ溶けはじめていなかったが、踏みしめても前日のようなギュッギュッという音は聞こえてこなかった。空はどんよりとしていて、また雪が降り出しそうな気配だ。空気はガラスから乳白色の磁器に変わっていた。空全体をあまねく覆う雲の後ろに隠れているので、丸い太陽は見えなかった。家や宮殿の屋根の上には青灰色の霞が鎮座し、遠くを見渡せる少し高い場所に立てば、浅い煙の海に街全体が沈んでいるかのように見えた。鐘の音、そりのベル、さまざまな音が出どころは見えないが近くから聞こえてくる。音の出どころを目にするのが禁止されているかのような感覚だった。鐘楼を、人を、通りをこの目で見るには、霧の呪縛を破らなければならないと思えた。建物はもはや永遠ではなく、はかない命に目を向けているように見える。それらは震え、揺れ、形すら変えてしまったようで、まるではるか遠くから眺める壁のような印象だ。この日も寒かった。しかし、その寒さは暖かい雲の毛皮をまとっていた。そのなかでは雪も心地よく柔らかい。私の前で、青灰色の霧の奥に海軍宮殿の尖塔が輝いた。煙を貫いた金の槍のように。槍の輝きのなかに、思いがけない勝利の喜びが宿っている。まるで自らを飲み込もうとする霧を恐れ知らずの一突きで打ち破った一つの世界の記念碑か何かのように堂々と。恐れるはずがないのだ。霧をつくったのは世界のほうなのだから。それはまるで、まだ力が残っていることを誇示するために突き立てた指のようだった。

実際にレニングラード自身が空を覆う霞を生んだ。というのも、湿地から煙が湧き上がるのである。この都市は柔らかくてやっかいな湿地の上に建っていて、大きな宮殿や教会の重い基礎は建てるよりも沈むほうが速いほどだ。偉大な、しかしわがままな皇帝が、湿地の上でも自らの力を示そうとしたのである。ヴェネツィアが水の上に君臨する都市なら、レニングラードは湿地の上に君臨する都市だ。しかし、都市のほうが湿地に取り込まれようとしている。壁は湿り、沈み、もし凍てつく気候が柔らかい地面を硬く凍らせることがなければ、そのうち建物が今よりもずっと低くなるかもしれない。一年の大半で、この都市は湿地が生み出す柔らかい霧に包まれている。石と水が結んだ平和を象徴するかのように。遠くから眺めれば、レニングラードは実在する都市ではなく、湿地が見る幻夢のようだ。ある日目を覚ませば、ペテルブルクは消えてなくなっているだろう、とドストエフスキーは言った。生前のピョートルがつくった都市。彼が死んだ今、もしかするとまた無に還るのかもしれない。なぜなら、この都市が破壊されることはありえないからだ。ありえるのは、自らを包む霞のなかに消えてなくなることだけだ。

3

もっと早くにここに来ればよかったのに。ここは昔、パリよりもずっとヨーロッパ的で、賑やかで、豊かだったんですよ！　愛国者たちがペテルブルク訛りで私に言った。実際、ロシア全土に、自信満々のモスクワ市民を目の敵にする自称ペテルブルク人が存在する。モスクワは古くからの歴史的および民族的権利を一度も放棄しようとしなかった。ペテルブルクの「ヨーロッパ的な」宮殿文化に対抗して、より「本物」の「ロシア的」伝統を維持しつづけた。結果、モスクワの下僕たちから遠く離れて皇帝が住んだペテルブルクで、とても特徴的なロシア文化が生じた。厳格なロシア的官僚主義とドイツ的な几帳面さ、そして少しばかりの異常さ。それらが混ざり合ってこの「変わり者」を生み出したのである。ヨーロッパ的な広い通りがあるかと思えば、ロシアらしい不完全な下水網がある。フランス語やドイツ語を話す人もいれば、ロシア語で罵る人もいる。海や外国船はすぐそこ、外国も近い。

他国から来た外交官が同じ通りに住んでいる。ロシアにいるのに、窓から外を眺めればヨーロッパが見えるのだ。この都市はかつてペテルブルクと呼ばれていた。これはロシア語ではなく、ドイツ語をもとにした名前だ。ニコライ二世が戦争中に「ペトログラード」に改名したとき、ドイツ語の名前に親しんでいたロシア人愛国者たちが不満を言いはじめた。「ペテルブルク」は最も偉大な皇帝が選んだ名で、世界的に知られる高貴な都市だ。したがって、もはやロシア語である。一方、「ペトログラード」は小市民的な民族主義への安っぽい迎合でしかない。外国語っぽい響きのする名前を示す標識をすべて破壊しようとする下等な、いやむしろ西欧的な言語的純潔主義の表れでしかない。ペテルブルクをペトログラードに改名するという行為は、デモに繰り出す市民と同等の民族意識の前皇帝が、小市民的な考えしかもっていなかったことの証明だ。だから、名前をペトログラードに変えられた都市は、さらにレニングラードに改名されざるをえなかった。現在のロシア人保守主義者たちはそう説明する。そして、彼ら反動的保守主義者たちの心はいまだにピョートル大帝のもとにある。彼らにとって、ニコライ二世は革命のきっかけをつくった男なのである。

　反動主義者たちは今もペテルブルクに生きている。彼らの多くは政治にかかわることを拒んだので革命を生き延びることができた。彼らは政治にかかわるほど自分たちの器は小さくない、と考えたのだ。彼らは机を離れ、制服を脱ぎ、自分たちの世界が、自分たちに敵対していた世界が崩壊していくのを軽蔑の目でただ眺めた。貴族的な虚無主義《ニヒリズム》と呼べるだろうか。無関心な英雄主義《ヒロイズム》とも言えるだろう。彼らは亡霊のように通りをさまよっている。もっとも、机の前に座っていたころも、すでに亡霊のようだったのだが。貴族的なマナーを身につけた湿地の亡霊。彼らは決してペテルブルクから出て行こうとしない。宮廷はなくなったが、湿地は存在しつづける。故郷の湿度が今後も亡霊たちを保存してくれることだろう。

4

冬宮殿の前に広場があるが、雪に紛れてその境界線は見えない。この宮殿広場も、帝国としてのロシアと同じように計り知れない。黄ばんだ窓ガラス越しに眺めると、凍った湖のように見える。生き物からは蒸気の霧が、石と氷からは哀愁が漂っていた。広場を横切る人々はとても小さく、まるで服を着たマッチ棒。周りからは閉ざされて、細い道で街とつながっているだけのこの広場は、自ら孤独を望み、街に背を向けたかのようだ。この広場に立てば、皇帝もちっぽけな囚人に過ぎない。大きく、白く、寡黙な広場に取り囲まれたとき、支配者はどれほどの恐怖を味わうのだろうか！　広大なこの土地を前にして、統治する器量をもたない者は暴君になるしかない。

冬の早い夜の訪れとともに柔らかく雪が降りはじめ、暗くなったあたりを明るく照らす。しかしいくら雪が降ったところで、広場は深く、地面も一センチたりとも高くならない。広すぎる！　私は思った——広すぎる！……

『フランクフルター・ツァイトゥング』一九二八年三月一八日

三　ソビエトの現実

国境のネゴレロイエ

　国境の〝ネゴレロイエ〟には大きな木造の広間があって、旅行者は全員そこを通らなければならない。頼もしい荷物係が私たちのトランクを列車から降ろして運んでくれた。雨が降るとても寒くて真っ暗な夜だった。だからよけいに、荷物係の存在を心強く感じた。国境にたどり着いたとき、白い前掛けを身につけた彼らがよそ者の私たちのところにやってきて、そのたくましい手を貸してくれたのである。検閲の男がまだ列車のなかにいる私からパスポートを奪っていった。私はアイデンティティーをなくしたのだ。だから、私は私でない私として国境を越えたことになる。私自身ではない誰か他の旅行者と間違えられてもおかしくなかっただろう。のちにわかったことだが、ロシアの税関職員は私のことを誰とも取り違えなかったようだ。他の国の税関職員らよりもずっと正確に、私の旅の目的を把握していた。

　暗い色をした木造の広間では、すでにほかの職員が私たちを待ち構えていた。天井で黄色いランプが温かな光を発している。税関の所長の机の上でも、まるで旅行者たちを歓迎するためにずっと昔からそこにいる優しい女性のように、円筒式の灯油ランプが明るい光を揺らめかせていた。壁の時計は東欧時間を示していた。旅行者たちはまるで遅れを取り戻すかのように、自分たちの時計を一時間先に進めた。そこではもう一〇時ではなく一一時だった。一二時にはまた旅を続けなければならない。

旅行者の数こそ少なかったが、荷物は多かった。そのほとんどが、一人の外交官がもってきたものだ。法により、外交官の荷物は検査から除外される。出発前とまったく同じ状態で目的地に着かなければならない。いわゆる〃国家機密〃が入っているからだ。検査をしない代わりに、綿密にリストが作成された。時間だけが過ぎていく。最も有能な検査官らがその外交官にかかりっきりになっていた。そうこうするうちに、東欧時間が過ぎていく。

外では、湿っぽい闇夜のなかでロシアの列車が操車されていた。ロシア製の機関車はピーと音を立てないようだ。代わりに明るい海をゆく船のようなサイレン音を発する。窓から湿った夜を眺めながら機関車の音を聞いていると、自分が海岸にいるかのような錯覚に陥った。広間のなかは快適にさえ思えた。まるで部屋が暑すぎるかのように、トランクが次々と大きく開きはじめた。テヘランからやってきた商人の大きな荷物から、ヘビやニワトリや木馬など木製のおもちゃが出てきた。小さな起き上がり小法師は金属製のおなかの丸みに沿ってゆっくりと揺れている。そのカラフルに色づけされた滑稽な顔は灯油ランプに照らされているが、誰かの手が影をつくるたびににやけたり、笑ったり、泣いたりと、表情をころころと変えた。おもちゃは次々と秤に登り、また机に降り、すぐにガサガサと薄紙で身を包んだ。少し不安そうにしている若くて美しい女性のトランクから、虹の一筋を切り取ったかのように色鮮やかに輝く細い絹布があふれ出た。そのあとに出てきたのは羊毛だ。それまでの数日間、空気のない狭い場所に閉じ込められて萎んでしまった自分自身を、大きく息を吸うように、膨らませた。銀色の留め具がついた指の細いグレーの手袋が新聞紙を机に置いた。『マタン』紙の第四面を隠すように下にして。手首部分に刺繍のある手袋が、厚紙で覆われた小さな容れ物から現れた。さらに、下着、手ぬぐい、ドレスも――どれも検査官の手を覆うのに足りるくらいの小さいサイズだ。どれも豊かな世界の贅沢品ばかり。エレガントできらびやかな小物たちが、暗く硬い茶色の広間の重いオーク材の梁の下で、鋭い斧のような角張った文字をあしらった厳格な掲示物の下で、樹脂と革と灯油のにおいのなかで、異物のようになすすべもなく横たわっていた。サファイア色や琥珀色の液体を含んだクリスタル・ガラス製の丸みのある小さな香水瓶が立ち、革のマニキュアポーチが聖なる祭壇のように大きく開き、小さな婦人靴が机の上でつまずいている。

そこまで綿密な検査を私はそれまで一度も見たことがなかった。検査官らが大活躍した戦争直後の数年ですら、これほど厳しくはなかった。まるで、ここは国と国を隔てる単なる国境ではない、世界と世界を分ける境界なのだ、と言わんとしているかのように。世界で最も有能なプロレタリア税関職員――彼自身、それまで何度も身を隠し、逃げのびなければならなかったことだろう!――は、中立かつ友好的な国々からの市民を検査するのだが、彼らは敵対する階級に属しているのである。プロレタリア税関職員が検査する相手は、資本家の、商人の、専門家の手先なのだ。旅行者らは自国からの使命を受け、プロレタリアから攻撃されるのを覚悟のうえでロシアにやってくる。税関職員は、商人たちが店々に商品の納品書を送りつけ、プロレタリア階級には決して手の届かない高級で高価な商品をショーウィンドーに並べることを知っている。職員はまず顔を、それから荷物を検査する。彼にはそれが帰国者かどうかはすぐにわかる。たとえ彼らが新しくポーランドの、セルビアの、ペルシャのパスポートを持っていたとしても。

夜遅くなっても、旅行者たちは廊下に並び、課せられた関税に不満をこぼしつづける。互いに何をもってきたか、何を支払ったか、何をひそかに持ち込んだか、報告し合う。長いロシアの夜、話すことはいくらでもある。孫の代まで語り継がれるだろう。

それが語られるとき、孫の前にはこの奇妙で混乱した時代のおぼろげな情景が立ち現れるに違いない。彼らが体験した境界の時代、行き場を失った子供たちの、赤い検査官たちの、白い旅行者たちの、偽物のペルシャ人の、裾が床に触れるほど長い砂のように黄色いマントをまとった赤軍たちの、ネゴレロイエの湿った夜の、ぜえぜえと喉を鳴らしながら重い荷物を運ぶ荷物係たちの時代が。

歴史において、この国境には間違いなく大きな意味がある。サイレンが鳴り響き、暗く、広く、静かな大地に目を向けるとき、私はその意味を感じる……。

「ロシア紀行」第二回、『フランクフルター・ツァイトゥング』一九二六年九月二一日

モスクワの亡霊

広告掲示板から私の目に飛び込んできたのは誰だ？　『マハラジャ（一九一〇年代後半から二〇年代にかけてヒットした無声映画）』だ。し

かも、モスクワのど真中で！　北欧からやってきた無声のテノールことグンナール・トルネスが爆撃と血と革命から無傷で生還する。まるで本物の亡霊のように。彼のお供をするかのように、ヨーロッパとアメリカの古い劇映画の広告も見える。それらが上映される映画館はどこも満席だ。私はマハラジャたちから逃れたくてここにやってきたのではなかったのか？　マハラジャを見るためにロシアに来たのではないはずだ。ロシア人は西に『ポチョムキン』を送る代わりに、グンナールをここへ呼び寄せたのだろうか？　何たる交換だ！　私たちが革命家で、ロシア人が俗物なのか？　世界はおかしくなってしまった！　モスクワのど真ん中で『マハラジャ』を上映するなんて……。

数少ない婦人服店のショーケースには、釣り鐘型をした長くて幅広の古めかしい衣服が掛けられている。洋裁師の店では、昔ながらの形の帽子を見ることができる。町中の女性たちの頭の上にも同じものが載っている。誰もが、サギの羽をあしらったつばの広い帽子やナポレオン帽、あるいはベール付きのカルパック帽をかぶっている。髪は長く、くるぶしまで届く長い服を着て。みんな同じような格好をしているのは、貧困だけが原因ではない。この服装は保守的な思想の表現でもあるのだ。だから日傘も手放さない。

私は『マハラジャ』に入った。誰が観に来ているのか、興味があったからだ。そこにいたのは、古いカルパック帽、ベール、コルセット、日傘ばかりだった。

今となっては落ちぶれたブルジョア女性たちだ。その姿を見れば、彼女らが革命を切り抜けたのではなく、命からがら生き延びただけであることがよくわかる。しかし、彼女らの趣味嗜好はその後も変わらなかった。彼女らはヨーロッパとアメリカの上流および中流社会が進んだ道を歩まなかった。

夏の夜の夢から黒人レヴューへの、戦争勲章から記念日への、英雄崇拝からボクサー崇拝への、バレエ団から女性兵部隊への、戦時国債から無名戦士の墓標への道をたどらなかったのである。古き良きロシア市民階級は一九一七年に歩みを止めた。みんな、同時代に生きる人々の風習や習慣、運命や家具を眺めるために映画館へやってくる。赤軍ではない軍隊の将校が華やかなカジノに足しげく通う様子を、戸籍係の前で質素に行われるソビエト式婚姻ではなく、にぎやかなどんちゃん騒ぎで祝われる情熱的な恋愛物語を、紳士たちの決闘を、屋根付きの書斎机を、小物であふれる食器棚を、ロマンチックな異国情緒を見るために。かつては不安のなかで体験したことのある世界、しかし失われた今となっては楽園のように思える世界をもう一度眺めたいと願うのだ。だから、古い劇映画が満席になるのである。ロシアの人々が固唾をのんで見守る運命を、パリのフランス人は大笑いしながら鑑賞する。『戦争二〇分前』という嘲笑的なタイトルの下で。

しかし彼らはもう「古い」ロシア市民なのだ。というのも、革命のさなかに生まれ、革命から命を授けられた〝新しい〟世代が育ちつつあるからだ。彼らは革命のおかげで商売することが許され、革命による様々な制限の中にあっても、なんとかうまくやっていく術《すべ》を身につけている。強く、生き活きとしていて、先人たちとは中身がまったく違う。半分略奪者、半分商人のような人物で、「ネップマン（ロシア内戦直後にソビエト連邦で行われた新経済政策であるネップに沿って仕事をする者）」と呼ばれようと——国内でも外国でも侮辱的に響く言葉であるにもかかわらず——平気な顔だ。ネップマンは感傷に浸らない。世界観にも、物質的豊かさにも、流行にも、文学や芸術作品にも、道徳観にも畏怖を抱かない。ネップマンは古いタイプの市民からも、プロレタリア階級からもまったくかけ離れた存在だ。もし生き延びることができれば、数十年後には彼らに適した形式、伝統、そして常套手段としての嘘を手に入れていることだろう。

もう一度繰り返すが、私がこれまで話してきたのはネップマンではなく、古い市民、古い「知識人」についてだ。彼らの生命の力は尽きてしまった。彼らのまっとうでささやかな革命的理想主義は、彼らの善良ながらも視野の狭い自由主義は、燃えさかる家屋のなかに立つ一本のろうそくのように、革命の大火に飲み込まれてしまった。彼らはソビエト連邦に奉仕している。わずかな給与をもらいながら昔ながらの生活を、ただし規模はずっと小さくして、送っている。いまだにカールスバートからの不細工な土産と家族写真のアルバムと百科事典とサモワール（ロシア式真鍮製湯沸かし器）と革表紙の本に囲まれて。静かな夜には夫人がピアノを奏でる。しかし、彼らの存在意義は、市民社会にとって扱いやすいメンバーであること、そして息子を可能な限り重要人物に仕立て上げること、この二点でしかない。かつて、彼らの静かな存在をたたえるために、ちょっとした勲章が贈られたり、階級が授けられたりすることがあった。昇給することもあったし、家族で祝い事をすることも認められた。娘が信頼できる男と結婚することも。

しかし、そうしたことは今はない。娘は父親に何も告げずに、どこかの男を勝手に部屋に連れ込む。息子に人生の「基本原則」を教えることもできない。息子のほうがロシアの現状について詳しく理解し、父親にあれこれと指図する。まるで、父は目が見えていない、とでも言いたいかのように。そして、父親は最後に階級も栄誉もないまま、墓場に埋められるのである（死さえも厳粛さを失ってしまった）。確かに、現在彼らは新しい主人のために、古い誠意と忠誠心――古い市民がもつ最大の美徳――をもって仕えている。もしかすると、彼らはこの世界を満足げに肯定しているのかもしれない。

しかしそれでも、たとえ本人がどれだけ満ち足りていても、彼らはこの世界にとってはよそ者で、すでに死んでいるに等しい。彼らがこの世界を望んだのでも、勝ち取ったのでもないのだから。しかし、世界はこうなった。そして彼らを内なる境界線から締め出した。古い市民には理解のできない乱暴な決断を通じて、この世界は成立したのである。彼らの強い正義感は、新しい体制の不完全さに満足できないだろう。彼らは新しい世界の間違いを、かつて古い世界に生きていたころよりもずっと早く、ずっと批判的な目で見つけることだろう。もちろん、彼らは古い体制が犯す間違いにも抵抗してきた。しかし、結局のところ、彼らは古い体制の子供たちなのだ。だから、静かに反抗の怒りを燃やしていただけに過ぎない(彼らが大きく声を上げることはなかった)。その結果として、ロシアでは同じリベラルな市民階級が一九〇五年に〝本当に〟反乱を起こした戦艦ポチョムキンに共感し、オデッサで赤旗を揚げて反乱者を迎え入れ、最後はコサックによって撃ち殺されたのである。この市民階級は映画『戦艦ポチョムキン』を決して観ようとしない。

*

戦前市民の混乱した好み、戦前の若者の脳天気な高揚、狭い特定分野にしか向けられない関心、表層に浅い傷しかつけられないなまくらな矢のような熱意、一八九〇年代に「贅沢」あるいは「無駄」と誤ってみなされていた物事の徹底的な排除、すでに形而上学的な領域に足を踏み入れた人々が感じる精神的な満足やあらゆる優雅さの自発的な放棄、日々の政治という意味ではなくもっと一般的な意味における動向や流行と、純粋に美しいものや「市民的な遊び心」をいまだに区別できないという事実——これらもまた、〝革命家たちの亡霊〟なのだ。革命家たちはこれら亡霊を小さなフランス・ブルジョア階級の啓蒙自由主義から受け継いだ。それらはどれも、健康で頬の赤く屈強な昼間の亡霊だ。生きるには、あまりにも肉と血が多すぎる。

宗教的な理由から、学校の授業でホメーロスが扱われることがなくなった。今後、ロシアでは六歩格《ヘクサメトロス》の詩が詠まれることもない。いわば、国家と人文主義的教養が完全に分離されたのである。つまり、ソフォクレス、オウィディウス、タキトゥスらは「ブルジョア的な」精神の代弁者だと理解されたのだろう。古典哲学のブルジョア教師が犯した過ちを、今、正そうとしているのだ。古い思想の嘘を、真に革命的な方法で暴き出す絶好の機会だったのに！　今こそ、歴史的な事実と、その真の意味を伝承する高尚かつ「古典的な」物語は大きくかけ離れているということを知る機会だったのだ。ガレー船を駆使する高貴な英雄たちと、漕ぎ手席に縛られたまま、自分たちの兄弟である「敵」に向かって船を漕ぎ進める何千人もの奴隷たちのあいだの差がどれほど大きかったのかを。テルモピュライの戦いにおける三百人の死がいかに残酷で無意味だったかを。何しろ、祖国のために戦った犠牲者を、祖国のほうはたった二行の詩で弔っただけなのである。三百人の犠牲者の妻や子供たちがその後どうなったのかを問うことも、パトロクロスはいまだに忘れ去られたままなのに、テルシテスは繰り返し言及されるという事実を教えることもできたはずだ。アキレウスがヘクトルの死体に行った残虐な行為を、ホメーロスが描写したように解釈することもできたに違いない。というのも、見境のない不公平で残忍な神々——いわば古代の支配者層——のお気に入りの青年が行う所業を読めば、誰もが身の毛もよだつ思いをするのである。オウィディウスの卑屈な献呈詩をラテン語「叙事文学初期」の文体の例として朗読するだけでなく、造り出す人間――ともかく彼も労働者であることには違いない――が自分の作品を裏切り、自らの尊厳を否定するという恐ろしい時代の典型と理解することもできただろうに……。

しかし、ロシアの革命はこの機会を逃そうとしている！　学校では「実用的」なことばかりが注目されるが、それらは明日すぐ役に立つだろうが、あさってには無意味になるものである。古い世界は堅固な基礎の上に寺院や宮殿を建てた。しかし今のロシアは基礎づくりを放棄しようとしている……。

ロシアの精神世界の大部分では、私たちの国では二〇年前に新鮮だった空気が漂っている。男の誰もが「シラー襟」を身につけ、合理主義と自然への愛を表現していた時代の空気だ。その一方で「性教育」が一気に広がりつつある。本来、少しだけ窓を開けて性知識の風通しをよくすることが目的だったのだが、予想に反して性に関するすべての扉が大きく開かれた。予防策を講じたつもりが、疫病が広がったのだ。小市民的技法にもとづく文学は流行という厚い壁の後ろに身を隠している。自分たちの存在が見つかれば、革命に傷がつくと思っているのだ。造形芸術の展覧会は、言語的隠喩が、絵画やデザインに逆翻訳された安っぽい象徴的表現、つまり色で語る絵でいっぱいだ。文字が書かれているのに、文字の弧の部分が鋭角に、円が四角に、なめらかな曲線がいびつな台形になっているなど、あまりに大きく変形しているために読めなくなっているポスターもある（ロシア構成主義の絵画やデザインのことを指している1）。

人々の大半は、神が存在しなくなった、それは国家が司祭を保護しなくなったから、と信じている。形而上学的な問題に対して、これほど単純で完璧な態度はロシア以外ではアメリカぐらいでしか見られない。実際にモスクワでは、頻繁に訪問してくるアメリカ使節団の代表者とモスクワの教授が公の場で、神の存在について、そしてマルクス主義的世界観と宗教の親和性について討論したことがある。その様子はまるでニューヨークのナイトクラブのようだった……。

そうなってしまうのは当然のことだろう。何より先に、大衆が浅薄な考えから抜け出さなければならないのかもしれない。彼らは深い暗闇からほんの数年前に解放されたばかりなのだから！ 新たな創造性について人々の認識が深まるには、まだまだ時間がかかるだろう。なぜなら、この国では、造形することと鑑賞するための、創作し読むための、思索し聴くための、教えることと学ぶための、そして描くことと鑑賞するための新しい方法が生まれたのだから。だからそれ以外のことは、そのまま亡霊として生きつづけるしかないのである……。

「ロシア紀行」第三回、『フランクフルター・ツァイトゥング』一九二六年九月二八日

ヴォルガ川をアストラハンまで

ニジニ・ノヴゴロドからアストラハンまで運航しているヴォルガ汽船は白く厳かに港に停泊していた。それを見ていると、日曜日のことを思い出す。一人の男が小さいながらも意外なほど大きな音の鐘を鳴らした。トリコット布のズボンと革のズボン吊りだけを身につけた舟曳き《ブルラキ》が木造のコンコース

を行き来している。まるでレスリング選手のようだ。切符売り場の前には行列ができていた。ある明るい日の午前一〇時のことだった。心地よい風が吹き込んでくる。なんだか新設された郊外のサーカス広場に来たような気分だ。

目の前のヴォルガ汽船には有名なロシア人革命家の名前がつけられていた。客室は四つの等級に分けられている。一等に乗るのはロシアの新人類、ネップマンたちだ。夏休みをカフカス地方やクリミア半島で過ごすのである。彼らは食堂で、あるいは有名革命家の肖像画の正面にある一本の椰子の木が投げかけるわずかな影の下で食事する。肖像画はドアの上に釘で固定されていた。市民階級の若い娘たちが硬い音のするピアノを演奏している。金属のスプーンでティーグラスをたたいているような音だ。父親たちはカード遊びに興じながら政府について不満を漏らしている。母親たちの一部はオレンジ色のスカーフがお気に入りらしい。給仕には階級意識がない。彼は汽船にまだ大公の名がつけられていた時代にも給仕として働いていた。チップをもらうたびに表情に従順な尊敬が浮かび上がるのは、そのときだけはつかの間、革命のことが忘れられるからだろう。

四等客室は最下層にある。四等客は自分で重い包みを引きずり、安物のかごや楽器や農耕道具を抱えている。ヴォルガ川沿いだけでなくその先のステップや、カフカス地方など、あらゆる土地の人々が船に乗っていた。チュヴァシ人、チュヴァン人、ロマ民族、ユダヤ人、ポーランド人、ロシア人、カザフ人、キルギス人などだ。カトリック教徒もいれば、正教会信者も、イスラム教徒も、ラマ教徒も、プロテスタントもいる。老人、父親、母親、女の子、男の子。小柄な農民、貧しい職人、放浪音楽家、盲目の海賊、旅商人、靴磨きする若造。住む家がなく、空気と不幸を糧として生きている子供たち、いわゆる「ストリートチルドレン」もいた。人々は二段づくりの引き出しのような木製の寝台で寝る。カボチャの種を食べ、子供たちの髪の毛に潜む虫を探し、赤ん坊に乳を与え、おむつを洗い、茶をいれ、バラライカとハーモニカを演奏する。

客室は狭いため、日中はとても騒々しく、悲惨なありさまだ。しかし、夜には神々しい静けさが訪れる。眠りに就いた貧困はとても神聖なものに感じられるのだ。どの表情にも、嘘偽りのない純真さのパトスが浮かび上がる。どの顔も開かれた扉のようで、そこをのぞけば真っ白な魂がはっきりと見えそうだ。ランプの光に混乱したのか、蠅を追い払うかのように手が動く。男たちは女の髪に顔を埋め、農民は聖なる鎌にしがみつき、子供たちはボロボロの人形を抱きしめた。蒸気機関のリズムに合わせてランプが揺れる。頬の赤い女の子は白い健康な歯がすべて見えるほど大きく口を開いている。貧民の世界は平穏に包まれていた。人間はまったくもって平和な生き物なのである。眠っている限りは。

＊

だが、ヴォルガ汽船の上層と下層では、よく陳腐な言い回しで言われるほど、はっきりと富と貧困が区別されているわけではない。四等客室の乗客のなかにも豊かな農民がいるし、一等客室の利用者全員が裕福な商人というわけでもない。ロシア人の農民は四等がお気に入りのようだ。安いからだけではない。そこのほうが落ち着けるのだ。革命により、彼らは「領主」の前にひざまずく必要はなくなったが、いまだに贅沢品には物怖じするのである。音が悪いとはいえ、ピアノの置かれたレストランでは、彼らはカボチャの種を食べる気になれないのだ。革命後の数カ月はどの等級にもあらゆる人が乗っていた。しかし、そのうち自然とパターンができあがっていった。

「ほらね」と乗船していた一人のアメリカ人が私に言った。「革命が何をもたらしました？ 貧しい人たちは下でぎゅうぎゅう詰めになる一方で、金持ちはカード遊びですよ！」。

「でもそれは」私は言った。「それが彼らに何の不安もなしにできる唯一のことだからですよ！ 今、四等にいる貧しい靴磨きは、自分がその気になりさえすれば上へ行ってもいいのだと知っています。一方、裕福なネップマンたちは靴磨きがいつ来るか、いつ来るかと怯えている。この汽船の〝上〟と〝下〟に、もはや象徴的な意味はなく、純粋に実用的な区分なのです。まあ、そのうちまた象徴的な意味をもつようになるのかもしれませんが」。

「ええ、きっとそうなるでしょう」とアメリカ人は答えた。

*

ヴォルガ川を覆う空は低く、雲はみじんも動かなかった。両側とも岸から遠く離れたところまで、そそり立つ木々の、飛び立つ鳥の、草を食《は》む動物の姿がはっきりと見える。森がまるで人工物のようだ。村落、町、人々――すべてがもっと広がろう、もっと大きくなろうとしているように思える。農場、小屋、遊牧民のテントが孤独に囲まれてひっそりとたたずんでいる。さまざまな種族が存在するが、決して混在はしていない。ここの大地に居着いたものは、一つの場所にとどまることがない。私たちは水と空気はいくらでもあると考えるが、ここに住む人たちには土地も無限に感じられるのだろう。もし、鳥に地上で生活する能力があるのなら、彼らも飛ぶのをやめるはずだ。鳥が自由に空を飛ぶように、人は自由気ままにこの大地を渡り歩く。人は地上の鳥なのだ。

ヴォルガ川もまた、大地の一部だ。広く、長く(ニジニ・ノヴゴロドとアストラハンのあいだには二〇〇〇キロ以上の距離が横たわっている)、とてもゆっくりと流れる。しばらくすると、岸が高くなる。低いキューブのような形をした「ヴォルガ丘」だ。川から見えるのは丸裸の岸壁。神が持て余した時間に気まぐれからつくったもので、気分転換にはもってこいだ。その背後にはふたたび平野が広がり、草原を越えて地平線までつながっている。

地平線の偉大なる息吹が、草原を、川を包み込む。〝無限〟のもつ息苦しさがひしひしと伝わってくる。大きな山を見たときや大海原に囲まれたとき、人は自分の存在の小ささを知り、恐怖を感じる。しかし、広大な大地を目の前にしたとき、人は己の小ささを知るが、同時に慰められもするのである。人はちっぽけな存在であることに変わりないが、それでも力尽きることはない。例えるなら、ほかの者がまだ寝静まっている夏の早朝に目を覚ました子供。無限のしじまのなかでは、人は生まれると同時に失われてゆく。だが、蠅の羽音が聞こえるとき、時を告げる鐘の音が重く響くとき、人は慰められる。なぜなら、そうした音は土地と時間を超越した平原の哀しみの声だからだ。

たくさんの集落の前で、私たちは停泊する。屋根が薄板と藁でできた木造や土造の家が見える。教会の大きなドームが数多くの小屋に囲まれて建っていることもある。子供たちの中央に立つ母親といった趣だ。ドームの上に四角いフランス式銃剣のような尖塔を植え込んだ教会が小屋の列の先頭に建っていることもある。まるで武装をした教会だ。この教会が村を先導する。

*

タタール人の首都〝カザン〟が私たちの前に立ちはだかった。岸辺は色とりどりの露店で賑わっている。外に向けて開いた窓が、まるでガラスでできた旗のように、旅人たちを迎え入れる。馬車の走る音が聞こえてくる。夕空の下、あちこちでドームが緑色や金色に輝いている。

一本の道が港からカザンへ延びていた。昨日雨が降ったので、道が川に変わっている。町は静かな湖だ。ところどころ、舗装路の一部が水面からせり上がっているだけ。道路標識と店舗の看板は泥まみれでまったく読めない。ちなみに、それらの多くは古いトルコ・タタール語で書かれているため、なおさら読めない。だからタタール人は店の前に座り、通りすがりの人々にどんな商品があるのか、口で説明する。彼らは頭が切れるとよく言われるが、それは本当の話だ。顎に黒いブラシを蓄えている。以前は多かった、読み書きのできない者の数が、革命以後は二五パーセント減少した。読み書きできる人が増えたのである。本屋に入ればタタール語の書物が並び、新聞配達はタタール語の新聞を売り歩いている。郵便局の窓口にもタタール人が座っている。ある郵便局員の話では、タタール人は最も勇敢な民族だそうだ。「でも、フィン人の血が混ざっていますよ」と私は意地悪に言い返した。郵便局員は気を悪くした。

飲食店の主人と商人以外は、みんな今の政府に満足しているようだ。内戦のころ、タタール人の農民はときには赤軍とともに、ときには白軍（反革命軍）とともに戦った。何のために戦っているのか、よくわかっていなかった。現在ではカザン州のすべての村落で政治教育が行われている。若者は共産主義青年同盟《コムソモール》に所属する。ロシアのイスラム教民族のほとんどと同じように、タタール人にとっても宗教とは、信仰するものというよりも学習するものなのだ。革命は欲求を抑え込んだのではなく、むしろ習慣を破壊した。ヴォルガ川沿いのすべての地方と同じように、ここでも貧しい農民たちは生活に満足している。一方、多くを奪われた豊かな農民たちは――川沿いのほかの地方、ポクロフスクのドイツ人、スターリングラードやサラトフの農民と同じように――不満を募らせている。

ヴォルガ川沿いの村落はどこも――ドイツ人集落は別として――若くて熱心な信者を党に送り出している。ヴォルガ川沿いでは、農村の人々のほうが都市のプロレタリアよりも熱心に政府を支持する。村落の多くは文化から遠く離れた辺境にある。たとえばチュヴァシ人などは、今でも秘密に満ちた「異教徒」だと言える。彼らは偶像を献身的に崇拝する。ヴォルガ川沿いの自然のなかで生きる素朴な人々にとっては、共産主義こそが文明だ。チュヴァシ人の若者にとっては、都会にある赤軍の兵舎が宮殿なのであり、その宮殿こそが――たどり着くことのできる――至高の楽園なのである。電気、新聞、ラジオ、本、インク、タイプライター、映画館、劇場――私たちをうんざりさせるこれらすべてが、未開の人々を活気づかせる。すべては「党」のおかげだ。党が支配者を打ち倒し、電話やアルファベットを発明した。党が、自分の民族に、小ささに、貧しさに誇りをもっていいことを教えてくれた。党がみじめな過去を功徳に変えてくれた。農民特有の本能的な疑り深さは、数多くの栄光のまばゆさにかき消されたようだ。批判的な意識や考えはまだ成長していない。だから新しい信仰の熱心な信者になる。農民たちは「集団的感情」をもっていない。それを補うためにいっそう熱狂するのである。

＊

ヴォルガ川沿いにある〝都市〟は、私がこれまで見てきたもののなかで、最も悲しいものだ。戦争で破壊されたフランスの都市を彷彿とさせる。赤色革命で家屋が燃え、瓦礫のあいだを縫って飢餓が広がった。

何百、何千と人が死んだ。人々は猫や犬、カラスやネズミ、果ては餓死した子供まで食べた。自分の手を噛み、血を飲んだ。地面をかきむしって大きなミミズを追い、白い石灰を見つけたらチーズだと思い込むことにする。そして食べてから二時間後に、苦しみながら死んでいくのだ。それでも都市はまだ生きている！　人々が売り買いをし、荷物を運び、リンゴを売り、子を宿し、子を産んでいる！　あの恐怖を知らない世代がすでに育ちつつある。再生の足場が立ちはじめ、大工や石工があくせく働いている。

私に言わせれば、遠くの高みから眺める都市の姿がじつに美しいことも、サマラでホテルに入ろうとしたときにヤギに通せんぼされたことも、スターリングラードで私の部屋が雨漏りしたことも、色つきの包装紙がナプキンとして使われていることも、どれも驚くに値しない。でこぼこの舗装路ではなく、美しい屋根の上を散歩することができれば、どれほどすばらしいことだろう！

＊

ヴォルガ川沿いのどの都市でも、人々からは同じような印象を受ける。商人は不満げだし、労働者は楽観的だけれど疲れている。給仕は丁寧、でも信頼はできない。守衛は謙虚で、靴磨きは卑屈。そして、若者たちはどの都市でも革命的だ。ブルジョア階級でも、若者の半分が少年団《ピオネール》や共産主義青年同盟《コムソモール》に所属している。

話は変わるが、人々は相手の服装を見て態度を変える。私がブーツを履き、ネクタイを外せば、ここでの生活はとても安くなる。果物は数カペイカで買えるし、辻馬車には〇・五ルーブルで乗れる。私のことを外国からロシアに来た政治難民とみなして「同志」と呼ぶ。給仕はプロレタリア魂を発揮してチップを受け取ろうとせず、靴磨きは一〇カペイカで満足する。商人も情勢に満足している。郵便局に行けば、農民たちから、彼らのもつ手紙に「きれいな字で」住所を書いてくれと頼まれる。しかし、ネクタイを締めたとたん世界は様変わりするのだ！　みんな私のことを「グラジュダニン」（市民）、あるいは少し気まずそうに「ゴスポジン」（ミスター）と呼ぶ。ドイツ人の物乞いには「同胞さん」と呼ばれた。そして商人は税金に文句を言いはじめ、辻馬車の御者は一ルーブルを要求する。食堂車の給仕は、自分は商業学校を卒業したので「本当は知的な人間なのだ」と語り、その証拠とばかりに二〇カペイカ余分に請求する。ユダヤ人嫌いの男性は、革命で本当に勝ったのはユダヤ人だけだと漏らした。「モスクワでさえ」ユダヤ人が生活することを認めている、と。自分は将校として戦争に参加し、マクデブルクで捕虜になっていたと自慢げに語る男もいたし、ネップマンに「あなたにはここでの生活のすべてを見ることはできない！」と脅されたこともある。

しかし私には、ロシアでもほかの外国と同じぐらい多くのものが見られると思える。いや、むしろロシアほど、国民から本当に大っぴらに受け入れられたことはない。私は官庁にも、裁判所にも、病院、学校、兵舎、留置場、刑務所にも入ることができるし、警察署長や大学教授に会うことも許されている。人々は、外国人の私が気まずさを覚えるほどはっきりと厳しい批判を口にする。私はどの飲食店でも、赤軍の兵士や連隊長を相手に戦争と平和、文学や軍備について話すことができた。ほかの国なら危険を感じるだろう。おそらくこの国の秘密警察は、私が不安を感じないほど腕がいいのだ。

＊

かの有名なヴォルガの船曳《ブルラキ》きたちは、いまだにかの有名な船曳き歌を口ずさむ。西欧諸国のロシアンキャバレーでは「ブルラキ」といえば紫色の照明とくぐもったバイオリンの響きが代名詞だが、本当のブルラキは想像もできないほど悲しい存在だ。昔からブルラキにはロマンチックなイメージがつきまとうが、彼ら自身が口ずさむ歌は聴く者の胸に深く突き刺さる。

おそらく、彼らこそ現代で最強の男たちだろう。彼らは例外なく二四〇キロを背負うことができるし、一〇〇キロの物体を地面から持ち上げることもできる。人差し指と中指だけでクルミを割るかと思えば、二本の指に舵を乗せて落とさずにバランスをとる。四五分でカボチャを三つ平らげる。まるで、人間の皮を張り背嚢《はいのう》を背負わせた銅像のようだ。ブルラキは比較的高い報酬——平均して四ルーブルから六ルーブル——を得る。屈強で健康、川の畔に生きる。しかし、私は彼らが笑ったところを見たことがない。彼らが陽気になることはない。彼らは酒を飲み、酒が彼ら巨人を酔いつぶす。ヴォルガ川が貨物を運ぶようになって以来、最強の男たちがここに住み、その全員が酒を飲む。現在、ヴォルガ川ではおよそ八万五千馬力の汽船が二百隻以上往来している。総重量は五万トン。一方、エンジンをもたない貨物船は一一九〇隻あり、その総トン数はおよそ二百万トンにも及ぶ。労働者たちは二百年前と同じように、いまだにクレーンの役目を担っているのである。

彼らの歌声は喉ではなく、心の奥底から鳴り響く。だから歌声に運命が混ざっているのだろう。その声は死刑囚の声に等しい。ガレー船を漕ぐ囚人に等しい。歌い手が背嚢を下ろす日は来ない。酒を手放す日も。仕事とは祝福だ！　人間とはクレーンだ！

曲全体が聞ける機会はめったにない。ほとんどの場合、彼らは数節あるいは数小節しか歌わないからだ。彼らにとって、音楽は仕事の道具。レバーのようなものなのだ。綱を引くとき、持ち上げるとき、下ろすとき、ゆっくりと水に入れるとき、歌を口ずさむ。歌詞は古くて素朴だ。同じ旋律にさまざまな歌詞をのせる。つらい人生、あっけない死、数千プード（ロシアの昔の重量単位）という重さ、女の子、恋愛。重荷が背中に載るやいなや、歌は終わる。そのとき、人はクレーンになる。

ガラスのピアノの調べを聴くことも、カード遊びをすることも、もうできない。私は汽船を降り、ちっぽけな船に座っている。束ねた太い綱をベッドにして、二人の船曳きが私の横でぐっすりと眠っている。四日か五日もすれば、アストラハンに到着するだろう。船長がやってきて、自分の妻に休むよう促した。ここでは彼が船長であり、クルーでもあるのだ。今、その彼はシャシリクを焼いている。きっと硬くて脂っこいに違いないが、私はそれを食べるしかない……。

＊

汽船を降りる少し前、例のアメリカ人が人差し指で空中に大きな弧を描きながら、石灰と粘土質の大地と砂の河原を指さして、こう言った。

「貴重な資源が手つかずのままだ！　休養や療養が必要な人にもってこいの砂原ではありませんか！本当にきれいな砂だ！　この砂原がヴォルガ川ごと文明世界にあればよかったのに！」

「もし文明世界にあれば、ここではもう工場が煙を上げ、モーター船がけたたましく往来し、真っ黒なクレーンが立っていますよ。人々は病気になって、療養するために二マイルほど離れたところへ向かうんだ。せっかくの砂原も台なしですよ。クレーンからじゅうぶん離れた場所にレストランや喫茶店が散らばるだろうけど、そこのテラスの空気にはオゾンがたっぷり。楽隊は〝ヴォルガの歌〟を演奏しなくちゃならない。それと、アルトゥル・レブナーとフリッツ・グリューンバウムが歌詞を書いた勇壮なヴォルガの波のチャールストンも……」。

「チャールストンか！」とアメリカ人はうれしそうに叫んだ。

「ロシア紀行」第四回、『フランクフルター・ツァイトゥング』一九二六年一〇月五日

アストラハンの不思議

アストラハンでは人々の大半が漁業およびキャビア漁に従事していて、いかにもそれらしい匂いがあたりに充満している。だから特別な理由がない者は、アストラハンに来ようとはしない。また、アストラハンに来た者は長居をしない。この町の特産品として、有名なアストラハン毛皮、子羊の毛皮の帽子、シルバーグレーの「ペルシャ人の毛皮」を挙げることができる。毛皮職人は大忙しだ。夏も冬も（ここは冬でも暖かい）ロシア人、カルムイク人、キルギス人は毛皮を着用する。

とても信じられない話だが、革命前はアストラハンにも裕福な人が住んでいたそうだ。屋敷をいくつか見せてもらったが、その一部は内戦により破壊されていた。しかし瓦礫の様子を見るだけで、彼らが悪趣味に富をひけらかしていたことがわかる。建物の構造からレンガの一つにいたるまで、自慢げなにおいがぷんぷんしていた。所有者は国を追われ、外国へ逃げていった。当然ながら、彼らはキャビア取引で財をなしたのだった。でも、彼らはどうしてここに、黒キャビア、青キャビア、白キャビアが収穫され、魚の匂いが猛烈に充満するこの場所に住んでいたのだろうか？

アストラハンには小さな公園があって、その中央にはパビリオンが、端っこにはロトンダが建っている。夕方になると、人々は入場料を支払って公園に入り、魚の匂いを嗅ぐのである。彼らの話では、まわりが暗いから魚が木にぶら下がっているような気になるそうだ。映画やごく簡単な演芸が野外で披露される。音楽隊が古い時代の明るい曲を演奏することもある。そしてビールを飲みながら、安物の赤っぽいカニをほおばるのだ。一時間もしないうちに、バクーへ行きたいという気持ちが強くなってくる。しかし残念なことに、汽船は週に三回しかやってこない。

汽船のことを考えて気を紛らわすために、私は港へ足を運ぶ。一八番桟橋からバクーへ行く船が出る。あさってまでの辛抱だ。あさってがこんなに遠く感じられるなんて！　カルムイク人がボートをこぎ、キルギス人が綱でラクダを引きながらやってきて、市場はキャビア商人で賑わい、素朴な農民たちは野原でキャンプする。そうやって船を待ちながらあと二回昼と夜が来るのを待つのである。放浪の民はカード遊びに興じていた。船がまだ来ないことが目で見えるからだろうか、港の雰囲気は町中よりも悲しげだった。辻馬車に乗ると、ほんの少しだけ出発気分が湧き上がってくる。馬車の座席は狭く、背もたれも屋根もないためとても危険だ。砂埃から守るために、馬にはクークラックスクランが身にまとうような白いローブが着せられている。馬上試合に向かう馬のようにも見える。ロシア語のほとんどできない御者は舗装路を嫌っていた。せっかく馬にローブを着せているのだから、ということだろう、砂の道ばかりを走る。だから乗客の黒い服は、目的地に着くころには銀色に変わっている。白い服を着ていた者は灰色になる。アストラハンに慣れている者は、馬と同じように砂よけ用のフード付きの長いマントを着ている。夜のわずかな光のなかで見ると、まるで馬の亡霊が引く馬車に幽霊が乗っているようだ。

それでもアストラハンには工科大学もあれば、図書館も、集会所も、劇場もある。揺れるアーチランプの下にはアイスクリームが、木綿のベールの奥にはまるで花嫁のように果物やマジパンが並んでいる。砂埃をなんとかしてくれ、と私は祈るような気持ちになっていた。すると翌朝、神がにわか雨を授けてくれた。私のホテルの部屋の天井は砂埃と風と乾燥には慣れていたようだが、それが突然の大雨に肝を冷やして落下してきた。こんなにたくさんの雨を降らしてくれと祈った覚えはない。雷鳴がとどろき、閃光が走った。どこが道で、どこが道でないのかもわからない。馬車は車輪の半分をぬかるみに埋めながらゆっくりと前進し、輪縁《リム》から重くて柔らかい灰色の泥をしたたらせていた。車上の幽霊はフードを頭から下ろし、傘といういかにも人間らしい器具を広げていた。大通りの舗装路では、二台がすれ違うことができなかったので、一台が方向転換をして、すれ違える位置まで少なくとも五メートルほど逆戻りをした。大きな歩幅で飛び跳ねるように人々が通りを横断している。ホテル、筆記具店、郵便局、菓子屋など、欠かすことのできない施設がすべて一本の通りに集中していたのは不幸中の幸いだろう。

アストラハンにいた数日、私には菓子屋こそが最も大切な店だと思えた。経営していたのは、歴史の荒波に翻弄されてチェンストホヴァからアストラハンに流れ着いたポーランド人家族だ。私は女性たちに、ワルシャワの人々が今どんな服装をしているのか、詳しく説明して聞かせた。ポーランドの政治についても、占い師のようにたくさん話した。ポーランド、ロシア、およびドイツ間の戦争についてアストラハンの人々が抱く杞憂については、うまく話をごまかした。アストラハンでは、私はおしゃべり好きな男だった。

この菓子屋がなければ、私は仕事ができなかっただろう。というのも、私にとって最も大切な筆記用具はコーヒーだからだ。一方、書くのに〝蠅〟は必要ない。それなのに私のまわりにはたくさんの蠅がいた。朝も、昼も、夜も。アストラハンの動物の九八パーセントが蠅だ。魚ではない。蠅は売ることもできない役立たず。誰も蠅から恩恵を受けないのに、蠅は誰からも恩恵を受ける。料理、砂糖、窓ガラス、磁器皿、残り物、茂み、木々、糞だまり、ごみの山、それどころか人間の目には何もないように見える清潔そうなテーブルクロスの上にも、大きな黒い塊となって群がってくる。こぼしたスープやとっくに乾燥した生ごみからも、蠅は分子から欲しいものを取り出す。男性の多くが着ている白いシャツにも数え切れないほどの蠅が心地よさそうに止まっている。宿主が動いても飛び立とうともせず、二時間ほど肩の上でじっとしている。アストラハンの蠅は、大型の哺乳類、たとえば猫や、本来の天敵である蜘蛛のように落ち着き払っているのだ。

そもそも、とても知的で人に優しい蜘蛛がアストラハンに大量に流れ込んできていないのが、私には不思議でもあり、残念でもある。ここなら、彼らは立派な社会の一員として人間の役に立ってくれることだろう。確かに、私の部屋には八匹の鬼蜘蛛がいて、徹夜する私を静かにおとなしく見守ってくれる。そして、昼になると彼らは自らのすみかで眠るのである。夕闇が迫ると、彼らは自分の職場に陣取る。ランプの近くという、とても重要だが、同時に危険でもある職場だ。何も知らない蠅を我慢強くじっと見つめ、細長い足で自分が無からつくった糸の上を移動し、遠回りをしながら蠅のまわりを慎重に歩き、壁から突き出た砂の塊に器用につかまり、ゆっくりとそして頭を使いながら仕事に取りかかる。しかし、その報酬見返りはあまりにも少ない！　部屋のなかでは千の蝿が飛び回っているのだ。私が欲しいは、二千の毒蜘蛛、蜘蛛の軍隊なのだ！　もし私がアストラハンにとどまるのなら、蜘蛛を飼育するだろう。キャビアなんかよりも蜘蛛をずっと大切にする。

なのに、アストラハンの人々は蝿に気を遣わない。彼らは蝿の存在を感じないのだ。自分の食べる肉に、パンに、果物に、このおぞましい昆虫がたかっていてもまったく動じない。それどころか、髭や鼻や額に蝿が止まっても、彼らは何事もないように話し、笑うのである。菓子屋でも、蝿と戦うのを諦めたようだ。ガラスケースを閉じようともしないまま、砂糖とチョコレートを食べたいだけ食べさせている。要するに、甘やかしているのである。アメリカ人が発明し、私が個人的に最も嫌う文化的偉業である蝿取り紙ですら、アストラハンでは高貴な人間愛が生んだ作品のように感じられる。ところが、アストラハンには蝿をおいしいにおいで引きつける黄色い紙が一つもないのだ。どうして蝿取り紙がないのだ、と私は菓子屋に尋ねてみたところ、言い訳のつもりだろうか、こんな答えが返ってきた。あなたがそんなことを言うのは、戦争前のアストラハンを、革命の二カ月前のここを見たことがないからですよ！　宿屋の亭主も、商売人も同じことを言う。控えめな頑固さでもって、反動的な蝿を擁護するのである。そのうちこの小さな昆虫が、大きなアストラハンを魚とキャビアごと食い尽くしてしまうだろう。

蝿ほどやっかいな存在ではないが、アストラハンにはほかのどの都市よりも多くの物乞いがいる。彼らは泣きながら、歌いながら、苦しみを叫びながら、さながら自分の死体のあとを追うようにゆっくりと通りをさまよう。ビアホールにやってきては私から一カペイカを受け取る。そして、そのわずかな一カペイカで彼らは生きているのだ！　アストラハンの数多くの不思議のなかで、彼らがいちばんの驚きだろう……。

「ロシア紀行」第五回、『フランクフルター・ツァイトゥング』一九二六年一〇月一二日

カフカスの民族模様

私たちが〝バクー〟に到着したのは夕方だった。バクーはアゼルバイジャンの首都であり、石油産業の首都でもある。新地区（ヨーロッパ側）と旧地区（アジア側）でできている。ヨーロッパ側の通りは広くて明るく、雰囲気もいい。アジア側のバクーは冷たく、暗く、重苦しい。大きくて立派なアーチ形の窓の前には太い針金でできた金網が張られている。どの家も宮殿のようであり、どの宮殿も刑務所に等しい。若いイスラム女性は白と青の布で口を覆っている。あたかも壁に囲まれた個人用監獄に閉じ込められているようだ。古い都市の大きな門に陣取るイスラムの物乞いには、施しを与える必要はない。彼らは装飾なのだ。ムハンマドの信奉者である古いサイード人が白くて分厚いターバンを巻いた姿でひまわりの種を噛んでいる。種の殻が黄色っぽい灰色の髭に絡まっていた。愚かで才能のなさそうな商人が石に座り、黄ばんだ便箋を一〇枚ほど並べているが、商品を売ろうとするそぶりも見せない。家屋には薄暗くて汚れた長い廊下があり、その先には噴水のある四角い石庭が白く輝いて

いる。おとぎ話のように見えるが、退屈でもある。千夜一夜の物語は、バクーではすでに忘れ去られたようだ。何しろ、数キロ先では地中から〝石油〟が湧き出ているのである……。

それでもやはり、市場は異国情緒たっぷりだ。たくさんの汚い小道、広場として使われる屋根付きの街路、数え切れない小さな店にはトルコ語、ペルシャ語、アルメニア語の看板が掲げられている。おや、あんなところに見慣れたアルファベットの名前が書かれているぞ。苗字は「レヴィン」――いったい誰のことだろう？　名は「アルヴァド・ダルザフ」というらしい。それは山岳ユダヤ人の名前だった。その人物は靴の底革を売っていた。人種的にはセム人ではなくタート人なのに、彼はそれでも不完全ながらもドイツ語を話した。通りかかるラクダの悲しそうな顔に、彼は長いパイプから吸った煙を吹きかける。しかし、ラクダというのは何と崇高な動物であることか！　ラクダの愚かさはただの愚かさではない、どことなく厳粛な愚かさなのである。もしかすると、砂漠のなかにいるラクダのほうが、より自然に見えるのかもしれない。この市場はとてもエキゾチックなのに、ラクダにとってはまだエキゾチックさが足りないらしい。レヴィンの店の前にいると、まるでぶさいくな馬に見える。

毛皮を燃やしたようなにおいが漂ってきた。通りの角に「クシェチュナヤ」という軽食屋がある。私が思うに、ここでは子羊の脂が必要以上に重宝されているようだ。溶け出した油が炎に落ちてぱちぱちと音を立てる。売り手は鼻をほじっている。私は通路を抜けた。人々は鎧戸を大きく開いたままの家屋に住んでいる。半裸の女性たちが湯気を上げる桶に身を乗り出して力強く洗濯している。老人たちは石の上で寝ていた。静かな余生を送っているようだ。子供たちは水たまりに座ってカード遊びいた。気をつけろ！　踏みつぶすなよ！　商人たちが私に向かって叫ぶ。さて、何を買えばいい？　ユダヤ人がマッツァーと呼ぶ発酵させていない東洋風の薄っぺらいパン。六ルーブルのグルジア風ベルトは革が薄く、銀のプレートがぶら下がっていて、イギリス人なら欲しがるだろう。トゥーラ銀細工を施した鞘に入った短剣。緑色の靴紐。ヘアピンはどうだろう。トルコ語で祝福の言葉が刻まれたカフスボタンも。それからヤギ革のたばこ袋、一束のニンニク、おいしそうに赤く映える新鮮な雄ヒツジの腰肉、丸い羊乳チーズ、針のない時計、偽物の宝石、毒々しい緑色のズボン吊りなど、ほんのりと文明に染まった商品もたくさんあった。悲しそうな疲れた髭面をした船曳きたちの色黒でたくましい体が、私の道をふさいだ。店から店へと、彼らはゆっくりと移動する。しかし、買い物をするためではない。経験することが目的なのだ。まだ幼い少年たちが、水を入れた粘土甕を頭にのせて運んでいる。足は動いているのに、頭はじっとしたままだ。だから甕も、鉄の柱で支えられているかのように安定している。両端に乾いた桶をぶら下げた棒を右肩に上手にのせて、裸足の少女たちが水を汲みに井戸へ向かう。まさに絵はがきのような光景だ。カフカスの山岳民族の多くは、野性味満点の大きなふさふさとした毛皮帽をかぶっている。この帽子が山とどう関係しているのか、私はずっと考えていたが、結局わからなかった。

どこに目を向けても黒い毛皮帽が見えた。カフカス系のほとんどすべての民族がそこにいた。四五万五千平方キロメートルを誇る広大なカフカス地方には、いったいどれぐらいの数の民族が住んでいるのだろうか？　古いガイド本には四〇から四五と書かれている。革命のあと、カフカス北部だけで、九つの共和国が発足した。そこにノガイ人、カラ・ノガイ人（黒ノガイ人）、（現在もまだ鼻輪をつけている）トルクメン人、そして美しいカラチャイ人が住んでいることは、私は以前から知っていた。クルディスタンにクルド人が、カラバフにアルメニア人が住んでいることも学んだ。しかし、アゼルバイジャン研究所で文化研究をするフィンランド人学者のシームマギが教えてくれるまで、民族の数は知らなかった！　彼が知るのは以下の民族だ。ダゲスタン人種に属する手先の器用なムガル人とレズギン人。クブルイ・ウーイェスト地方だけでもハプトリン人、ヒナルグ人、ブドゥフ人、ジェク人、クリツ人と呼ばれる五つの小さな部族が存在している。レズギン人の南方には五万のクリン人がいて、古代ペルシャ人の末裔であるタート人もいる。タート人は六世紀から七世紀にかけて、ハザール人とフン人に対する生ける防御壁としてこの地方にやってきたのだった。ヌハ地方にはヴァルテシュ人とニゼフ人が、レンゴラン地区にはタリシュ人がいる。ムガン平野にいるのは、皇帝から罰としてここに強制的に移住させられたロシア人の農民宗派であるドゥホボール派、モロカン派、古儀式派、そしてスボートニク派だ。ワイン生産で豊かなゴイジャおよびシャマヒョウにはシュヴァーベン人が農民として住み着いている。宗教的には、彼らの多くはメノー派に属する。プリヴォルナヤおよびプリボシュという村では、世界で最も興味深いユダヤ系民族が生きている。彼らは純血のアーリア人なのだ。今は農民だが、かつては安息日厳守主義のスボートニク派だった。しかし、教会や官庁から迫害され、それに対する怒りと反抗心からユダヤ教に寝返ったのである。彼らは自分たちのことをヘブライ語で「よそ者」を意味する「ゲリム」と呼ぶ。見た目はスラブ系で農業と畜産で生計を立てている。白ロシア人、セム人、「本物の」ユダヤ人と並んで、ソビエト連邦でもっとも敬虔な人々だ。

ユダヤ教に改宗したゲリムは、反ユダヤ人種主義者にとっては頭痛の種になっている。しかし、反ユダヤ人種主義者にとってもっと大きな問題は山岳ユダヤ人の存在だろう。私は山岳ユダヤ人たちのもとを訪れてみた。彼らは自分たちのことをセム人だと主張するが、学者はタート人種の一種だと説明する。聞くところによると、戦争前にシオニストらが山岳ユダヤ人と血縁を結んだそうだ。正教の影響を受けたセム系の東欧ユダヤ人聖職者とは違って、山岳ユダヤ人の聖職者はシオニズムに理解を示していたことが知られている。しかし、山岳ユダヤ人とシオニストの交流は戦争により分断され、革命により破壊された。共産主義に染まった山岳ユダヤ人の若者たちは聖職者に従おうとしないどころか、自分たちはユダヤ人ではなくタート人だときっぱりと主張する。若者の考えでは、彼らの同胞は世界に散らばるユダヤ人ではなく、イスラム教およびアルメニア・カトリック教を信仰するタート人なのだ。そのような経緯から、最近になって初めて、タート語で授業が行われる学校が建てられた。今のところ二校ある。しかし、タート語には文字がない。そこで苦肉の策として、ヘブライ文字でタート語を表記することになっている。トルコ人でさえ、ラテン語のアルファベットを採り入れたというのに。

ある理論によると——さまざまな反論があるが——カフカスの諸民族はヤペテ人種あるいはアラロド人種の血を引いていると考えられる。ヤペテ人種はかつて地中海周辺地区に広く分布していたとされている。聖書時代のヒッタイト人もヤペテ人種だったし、そのほかにもウラルトゥ人あるいはカルデア人、アッシリアの楔形文字碑文で言及されているナイリ人とミタンニ人、キプロス島とクレタ島の先住民、ペラスゴイ人、エトルリア人、リグリア人、イベリア人などがそうだ。現存しているのはピレネー山脈のバスク人である。インドヨーロッパ人が勢力を広げてヤペテ人を押しのけた際にイラン人がカフカスにやってきて、サーサーン人の集落をイラン化した。さらにアラブ人がイスラム教をもたらし、トルコ人がトルコ語を広めた。しかし、全般的な同化は起こらなかった。人里離れた山間の奥地や谷間で、とっくの昔に消えてなくなったと思われていた風習や、時間から取り残された習慣が今もまだ生きているのである。カフカスは人類の歴史の縮図だ。原始的な洞窟生活から定住農耕生活まで、好戦的な遊牧民から平和な牧人まで、荒々しい狩人から宗教的に菜食主義である温厚なドゥホボール派まで、ここではまだすべてが息づいている……。

*

現在、これらのすべての民族に〝自治〟が認められている。ただし、彼らがある程度の文化的発展を遂げ、自ら自治を要求した場合に限る。民主主義および社会主義のあらゆる理想のなかでも、ロシアにおける少数民族の平等ほど見事なまでに完璧に実現した例はほかにないだろう。かつて、少数民族問題はまさにこのカフカス地方において複雑な様相を呈していた。たとえば、中規模の都市に三つの共和体制が共存する、などということが実際に起こっていたのだ。つまり、一見したところ一つの都市なのだが、実際には三つの町がある。そして、すべての民族が、最も少数の民族も、独自の権利を主張した。新たに生じた民族意識は、あっという間に国粋主義に成長する恐れがある。したがって、すべての民族グループを適切な方法で画一的にロシア化するほうが手っ取り早かったのではないだろうか？　しかし、帝政政府にはそうするだけの力がなかった。今ではもう手遅れだ。いや、考えようによっては時期尚早なのかもしれない。代わりに、苦心の末、民族のるつぼから整然とした迷宮をつくりあげた。いまだに複雑ではあるが、少なくとも秩序だっている。よそ者は迷宮で右往左往するが、現地の人は決して迷わない。もし、今も害虫を食しているとされるナガン人(不詳)が山を下りてきて、自分たちの民度にふさわしい形の自治を求めるとしたら、彼らにもその権利は認められるだろう。基本的に、ソビエトではどの部族もそれぞれに見合った形で「民族国家」をつくることができる。

帝政政府はカフカスの特殊性を理解していなかった。大公や公爵、あるいは警察長官や将軍たちは先住民を「野蛮」とみなし、彼らが反抗したときには兵士に、戦時中は「敵兵」に射殺させた。当時、帝政政府の知事が支配下にある民族を見る目はとても原始的だったと言えるだろう。それに比べれば、支配を受ける人々の皇帝を見る目のほうがよほど先進的だった。私はチフリス(現在のトビリシ)とバクーの図書館で、カフカス地方で人望を集めていた高官が書いた「回顧録」を数冊読んだ。そのどれを読んでも、一八世紀半ばにイギリス人旅行者として悪名の高かったハンウェイが書いたものと同じぐらい、程度の低い内容だった。「カルムイク人の顔のつくりは中国人に似ているが、中国人よりもさらに厚かましくて、扱いがたい」……。

そのような人物がロシア文化を代表していたのだから、ロシア化が成功するはずがなかった。それに、皇帝たちはロシア文化にまったく関心を示さなかった。それどころか、大ロシアでは文化が禁止されていたのである。彼らは税金、天然資源、パンのことばかり考えていた。

カフカスの歴史が方向転換するとは思えない。今後も、小さな部族が新しい民族国家をつくることはあっても、複数の部族がまとまって国をなすことはないだろう。もうすでに明確な文化的背景をもつ民族は、今後も独自の民族文化を発展させていくに違いない。しかし、タート人、クミク人、チェチェン人はそのうち強大な近隣民族に飲み込まれてしまうだろう。一般に、原始的な民族と優勢な立場にある民族の融合の第一歩は新たな独自の民族意識であり、そのためには新しい民族学校と独自の教科書が必要になると言われている。また、道のりは遠いが、より大きな国際意識を育むための最初のステップは独自の文字だ。母語を通じて世界の言語を知り、世界を知ることで、民族意識を養う。

民族自治が認められているのは、共産主義だけが理由ではない。賢い政治の賜《たまもの》でもある。なぜそう言えるのか？　現在、新たに成立した民族国家が新しい教科書を使って何を学んでいるか考えてみよう。そう、彼らは革命の栄光の歴史を学んでいるのだ。原始的な人々にとっては、共産主義の理想よりも民族的理想のほうが魅力的である。しかし、今では共産主義が民族的意味合いを、愛国主義が共産的意味合いを帯びるようになった。つまり、民族の旗の下で行進することは、国際的な赤い旗の下を進むことを意味するのである。結果として、カフカスのほぼすべての民族の若者たちにとって、民族意識と共産主義的世界観はほぼ同じ意味をもつようになった。絶対君主制ができなかったこと、やろうともしなかったことに、共産主義は成功した。民族の絶対的な安全を実現したのである。バクーでアルメニア人が迫害されることもなければ、白ロシアやウクライナでユダヤ人が襲われることもない。かつて、旧体制が手をこまねき弱さを露呈したカフカスで、新体制は強固で安全な基盤を確立した。私はチフリスでとある将校の埋葬式を目撃した。グルジアの民族衣装——毛皮帽、サーベル、弾帯、拳銃、短剣——を身につけた軍人たちが二〇もの二列縦隊を組んで並んでいる。つまり、死者は民族軍の将校だったのだ。しかし、グルジア人たちの先頭では赤い共産主義の旗がはためいていた。

カフカスの農民は「今、国を支配しているのは皇帝かレーニンか」という問いにも答えられないなどと言われるが、これは間違いだ。産油を通じて工業化が進み、赤軍の革命により、毎年新たな農民層が発生している。ロシアよりも千年古い文化を有するグルジアの西部、グリア州では、一八六四年につらい身分から解放されたはずの農奴たちがその後も工業化の中心地へ強制的に送り込まれていた。一九〇二年のバトゥミのストライキで一九人のグリア人が射殺されたとき、農民が復讐を誓い、武器をもった。軍は一年にわたりなすすべがなく、警察にも被害者が出た。そこで法が改正され、国土の大部分で社会主義化が進められた。女性に平等な権利が与えられ、チフリスの知事が呆然と静観している横で、大々的にマルクスの研究が行われたのである。この状態は、一九〇五年の一二月に軍が大部隊を率いてロシア的な方法で反乱を「鎮圧」するまで続いた。

現在、グルジアの旧貴族の一部は国外へ逃亡し、一部はネップマンに転身した。エキゾチックな制服をぴしりと着込んだ人物の姿を、モンマルトルのナイトクラブの前で見ることができる。ロシア国内の都市では、彼らは平服を着て、小売人を相手に商売にいそしんでいる。八年前までなら、カフカスの貴族が一般人に暴行を働いても罪にならなかったが、今は旧貴族と旧平民が対等に商売をしているのだ。チフリスの通りでは立派な体格の紳士が、ミンスクやギリシャからやってきたユダヤ人と身振り手振りで交渉をしている姿が見られる。一七九五年まで、チフリスはハザール人、フン人、ビザンチン人、アラブ人、タタール人、モンゴル人、ペルシャ人、トルコ人、セルジューク人と次々にさまざまな民族によって征服されつづけた。その後はしばらく落ち着いていたのだが、一九二三年になってネップマンに征服されたのである。

バクーでは見通しがさらに明るい。大通りは分厚い財布をもった人々で賑わっている。カスピ海の水面にキラキラと光を投げかけるレストラン。積み荷の商品を下ろすために港に入ってくる船。快適な商いだ！　大きなプロンプター・ボックスのような見た目の天幕から悲しげなトルコ音楽が聞こえてくる。民族楽器「サズ」と「タール」が奏でる、荒々しさと繊細さの境界線上をゆっくりと流れる旋律が……それらを背景に、人は商売をするのだ。

「ロシア紀行」第七回、『フランクフルター・ツァイトゥング』一九二六年一〇月二六日

ロシアの大通り

一見したところ、ロシアの市街地はとても華やかで賑わっている。女性たちの多くが赤いスカーフを頭にかぶせ、首筋で結んでいる。ちなみに、これが唯一の実用的な革命ファッションだ。赤いスカーフのおかげで、婦人たちは若く見えるし、若い女性には大胆な色気が漂う。ところどころ、赤旗を掲げている建物も見つけられる。入口や看板の上には赤いソビエト星。映画館の前に貼られたポスターはとても素朴で牧歌的な色使いだ。人々はショーウィンドウを眺めながら右へ左へと、一貫性のない動きを繰り広げる。そんな通行人たちを教育する意図があるのだろう、公共交通機関はテンポとスピードを、「アメリカ」とは何たるかを披露する。イギリス製の最新式のバスも走っている。ベルリ

ンやパリのバスよりも軽快でしかも頑丈だ。まるで石の多い砂浜を踏み固めただけのような、世界でいちばんできの悪いロシアの道路をかなりの速度でなめらかに突っ走る。路面電車は目覚まし時計のように高い音をたて、自動車は子犬のようにやかましい。かと思えば、馬車馬の軽快なひづめの音が鳴り響き、行商人が歌うように商品の名を叫ぶ。客の気を引くというよりも、むしろ自分を奮い立たせるためにそうやっているのだろう。建物の屋根の上に浮かぶのは教会の丸屋根、金色のタマネギ、カラフルで独特でエキゾチックなキリスト崇拝の果実だ。

それなのに、私にはロシアの大通りが〝モノトーン〟に見える。通りを往来する大衆がグレーなのだ。大衆がスカーフと旗と標識の赤を、教会屋根の金色の輝きを飲み込んでいる。彼らの多くは貧しく、みすぼらしい姿をしている。彼らから強烈な真剣さが、圧倒的な空腹と悲壮な貧しさがあふれ出ているのだ。ロシアの通りを見ていると、社会劇のシーンを思い出す。石炭、革、食べ物、労働、人間のにおいで満ちている。まさに〝人民集会〟の雰囲気なのである。

ほんの数時間前に、町の門が、工場の門が、刑務所の扉が、駅のきらびやかな玄関が開かれたばかり。ほんの数時間前に、ゲートが開けられ、機関車が動き出し、トンネルが通じ、鎖がちぎられたばかり。大衆は解放され、ロシア全土が立ち上がったばかり。そんな様子なのだ。革命の色が赤ならば、ここには文明の白が欠けている。発展を終え、すでに完成された世界だけが醸し出す明るさ、陽気さが欠けている。豊かさがもたらす軽快さがない。ここで目につくのは困窮と不足ばかりだ。歩いていると、とにかく空腹を満たすためだけに大量のジャガイモを植えた畑を歩いているような気になる。

にわか仕立てのものが多い。靴磨きは木造の小屋に黒や色つきの靴紐、あるいは靴墨の箱でつくった小さなみすぼらしいピラミッドを並べている。人間用の〃ひづめ〃にしか見えない灰色の大きなゴム靴底もある。男が一人立ち止まり、片足を上げて新しい靴底を求めた。靴職人が鍛冶屋よろしく槌を振り下ろすと夕闇のなかに火花が飛び散った。厚手の服を着た女性たちが舗装路にしゃがみ込んでヒマワリの種を売っていて、二カペイカ払えばグラスにほぼいっぱいの種が買える。五人に一人がヒマワリの種を吹き飛ばしながら歩いている。身寄りのない、絵に描いたようにみすぼらしい子供たちの一団がうろうろしたり、道ばたに座り込んだりしている。あらゆる種類、あらゆる体格の物乞いたちが、しつこく慈悲を求めてくる。目に不満をたたえてふさぎ込んだ者、あの世の話で人々を怯えさせながら賛美歌の旋律で自前の説教を垂れる聖職者、子供を連れた母親、母親のいない子供、手足を失った者、仮病使い。小さな仮設店舗が並び、ショーウィンドウにさまざまなものを置いている。ショーウィンドウの左には時計が並び、右では棒に掛けられた婦人用の帽子が揺れている。かと思うと、左にはハンマーとナイフと釘が、右にはブラジャーとストッキングとハンカチが見えたりする。

そうした店舗のあいだを人々が練り歩く。安っぽい上っ張りを着た男たち。革の上着を羽織っている者も多い。みんな茶色か灰色の帽子をかぶり、灰色や茶色や黒のシャツを着ている。舗装路を歩く方法を学んだばかりの農民や田舎風の人たち。黄色い長マントを羽織った兵士と暗い赤色の帽子をかぶった民兵。書類鞄をもった男たち――ただし、それがなくても彼らが役人であることは一目でわかる。一八九〇年代の知識人の服装に頑としてこだわり、いまだに白いシャツを身につけ、帽子をかぶり、黒い髭を蓄えている旧市民は、もちろん耳と頭の境目をはっきりと示すチェーンでつながった鼻眼鏡を決して手放さない。討論をするために集会所へ向かいながら、早くも言い争いを始めている男たち。少し不安そうな、素朴な見た目の若い売春婦。ごくたまにだが、きれいな身なりをした女性を見ることもある。しかし、手持ち無沙汰な人間は一人もいない。何一つ心配がなさそうな人に出くわすことは決してない。どの人物の息からも、労働または問題に満ちた人生のにおいが漂ってくる。誰もが労働者、役人あるいは事務員だ。誰もがすでに活動しているか、これから活動することになる。誰もが党に所属するか、これから入党する(「無党派」もまた活動の一種である)。誰もが新しい世界で自分の立ち位置を決めようとしている。自分の立場を正そうとしている。完全にプライベートな個人でいることはできない。人は誰もが社会の動的な要素なのである。組織化が進められ、節約が行われ、キャンペーンが張られ、決議がとられ、使節団を迎え入れ、使節団を送り出し、誰かを締め出し、誰かを受け入れ、集め、運び、判を押し――それから、あんなことやこんなことも! 世界は一つの途方もない装置なのだ。どの老人も、どの子供も装置の一部であり、何らかの責任を担う。大きな工事現場で穴を埋め、レンガを運ぶ。ここには瓦礫が、そこには資材が横たわっている。誰もが足場に立ち、はしごに足を掛け、階段を上り、修理し、解体し、穴をふさぐ。自由に自立できる人間など一人もいない。

だからこそ、私にはときどきロシアで最も古い都市(モスクワやキエフ)の通りですら、新世界の通りのように感じられる。アメリカ西部開拓地の新興都市を思い出すのである。熱狂と新生、幸福への挑戦と失われた故郷、勇敢さと犠牲心、不信と怯え、原始的な木造建築と複雑な技術、ロマンチックな馬乗りと冷静な技師を彷彿とさせる。ロシアの全土から人々がここへやってきた(どの都市でも毎年人が入れ替わっている)。空腹と喉の渇きと争いと死を乗り越えてきた彼らの前には、労働に満ちた、しかしとても広く開かれた明日が待っている。だが、今日あるのはまだ、木くず、折れた十字架、壊れた家屋、庭を囲む鉄条網、つくりかけの建物の前の新しい足場、怒りから破壊された古い記念碑、大急ぎでつくられた新しい記念碑、集会所に変えられた寺院、寺院の代わりとして建てられる予定の集会所、荒廃した習慣、そしてゆっくりとできあがりつつある新しい形だ。多くのものが、古くなるにはまだ新しすぎる。あまりにも新しすぎる。それらはアメリカの――新しいロシアの建築士にとって当面の技術目標であるアメリカの――印を額に刻んでいる。通りは疲れた東洋から最果ての西への変貌を急ぎ、物乞いから電飾看板へ、遅い辻馬車から疾走するバスへ、御者から車掌へ変わりつつある。小さな角を曲がれば、道はニューヨークにまっすぐ続いているのである。

恥ずかしながら、通りを歩くとき私は悲しくなることがある。金もない、友もいない、資材も不足している。そんななかで情熱をもって自らの力を頼りに新聞を刷り、本を書き、機械をつくり、工場を建て、死者を埋めてまだ間もないというのに運河を掘るこの世界には感心せざるをえないのだが、その感心のさなかで、私は故郷のことを思い出し、そこでの軽薄な生活や非難すべき事柄に思いを馳せながらも、文明の香りを恋しく思うのである。科学的に確証された我々の退廃に甘く心を痛め、もう一度モリヌーのファッションショーを、年端もいかない少女が着る優雅なドレスを、『ソーリール』誌の最新号を、西洋の完全な没落を見たいという子供っぽい愚かな、しかし切実な願いに襲われる。これこそ、ブルジョア的先祖返りなのではないだろうか。

「ロシア紀行」第九回、『フランクフルター・ツァイトゥング』一九二六年一〇月三一日

アメリカを目指すロシア

西の世界から東に目を向けて〝精神的な〟革命の灯火《ともしび》を見つけようとしても無駄だ。どうしても見たいなら、東の地平線に自分で灯火を描かなければならない。実際、多くの人がそうしている。彼らは、革命家というよりもむしろ革命にロマンを感じる夢想家なのだ。それを尻目に、ロシアにおける革命はすでに安定期にさしかかっている。輝かしい祭りの日々はすでに過ぎ去り、醒めた灰色の苦悩の日常がもう始まっている。しかし西では精神的エリートの多くが、東からの光を待ち望んでいる。ヨーロッパにおける精神生活の停滞、政治的反動の残虐性、金がものをいう腐敗した雰囲気、役人の偽善、権威の偽の輝き、年功序列という横暴――これらすべてが自由人と若者たちに、ロシア革命に必要以上の期待を抱かせてしまうのである。しかし、それは大きな間違いだ！　嘘だと思うなら、ここに来て薄暗い通りを歩いてみたらいい。会議のあと、割引と分割払いで必需品を買うために国営百貨店に来て大きな荷物を抱えたままずっと立っている人たちと話し、住宅局との裁判沙汰が何年も終わらないため、毎日待合室に座っているかのような気にさせる住宅に住み、この巨大国家の――終わりのない、わかりにくい、ときには混乱した、目的のない動きで――せわしなく活動を続ける恐ろしく複雑な機構を見てみればいい。それらをすべて見たうえで、それでもロシアには精神的な「問題」と熱狂のための時間や場所があると思うなら、そう思えばいい。革命の火は消えてしまった。革命は普通のありきたりなランタンにふたたび火をともした。

〝活発な〟革命の赤くて壮大な芝居は過去に前例のないものだった。しかし今、ああ同志たちよ、しらふで規律正しく凡庸な生活を送るときが来たのである。今のロシアは天才も文豪も必要としていない。この国は大胆な理論家よりも国民学校の教師のほうを切実に求めている。発明家よりもエンジニアを、思想よりも建物を、世界観よりも日々の政治を、思潮よりも政治扇動を欲しているのだ。詩人はいらない。工場がいる。大衆のための身体的な衛生と、「啓蒙」という名の精神的な衛生が足りていない。大作ではなく普通の読本が必要だ。文学や文化の「問題」などここでは贅沢品。疑念をもつことは疑わしい行為。微妙なニュアンスにこだわるのは、この国ではブルジョア的なイデオロギーをもつことに等しい。自虐的な皮肉——貴族精神の階級章にして開花の証——は小市民的だ。革命とは、ロシア人民の精神を西欧人に近づけることを目的とした、歴史が犯した無駄な努力でしかなかった。物質的、政治的、社会的な意味においては、それは革命だった。しかし、精神的あるいは精神道徳的な意味では、ただの大きな〝前進〟に過ぎなかった。私たちの古く疲弊した文化が若い娘たちやファシズムや無意味なロマンチシズムによって病的に平凡になるのに対して、ここでは覚醒したばかりの、この上なく力強い世界が、健康なまま凡庸になる。私たちの退廃的平凡と新生ロシアのまだ新鮮で赤い頬をした平凡さは一つの対をなす。

「どうしてそんなことになったのか？」と尋ねる声が聞こえてくる気がする。「今、西にいる私たちが読んでいるのは、翻訳されたばかりの最新のロシア人作家の作品ではなかったのか？　私たちはロマノフ、セイフリナ、バーベリを読んでいるのだぞ！」という声が。確かに、それらは私の国ではまだ新しいが、ここではすでに古くなっているのである。若くて才能ある作家のすべてが、人々が必要とする「模範的な」革命家というわけではない。彼らのうちで共産主義者なのはごく一部で、大多数は検閲に納得していないのである。そしてどの作家も、革命初期の偉大な時代あるいは死や非道な飢餓の大時代から題材を得ている。『戦艦ポチョムキン』、『母』、『風』などといった優れた映画(この点については別の機会でも述べるつもりだ)はどれも革命における古いあるいは新しい英雄譚を主題にしている。しかし、数え切れないほど多くの地味でささいな心配事に地味にささいに取り組まなくてはならない現在の日常を描写する勇気と才能をもつ者がはたして存在するだろうか? 英雄が活躍する時代は終わった。今は勤勉な事務員の時代なのだ。叙事詩の時代は終わった。今は統計の時代なのである。

理念も、その理念から始まった新国家の建設も、個人に自分を大衆の一員とみなすことを強いる。人は高い精神性を誇る大衆の一員であるとき、自分に多くの妥協を強いる必要がなく、自分に忠実であればほかの全員にも忠実であることができるのではあるが、それでも今のロシアでは精神的な人物も、国家に奉仕するには自分を犠牲にせざるをえない。そのとき人は理念のために自分を犠牲にするのではなく——それでは犠牲とは呼べない——日常のために身を捧げるのだ。深みではなく広さを求めるとき、人には広い活動範囲が与えられる。創造人間、つまりプロレタリアのように強制されたのではなく自らの意志あるいは使命感から革命家になった者は、ずっと革命家でありつづける。革命が成功したあともそのことは変わらない。彼は、人民すべてを自由にする意志のある国家で生きるという大きな幸せを楽しむことができるだろう。しかし、物質的自由は彼の存在の最も基本的な前提の一つでしかない。自然な精神的貴族主義から永遠に精神的独立を奪い去ることができる社会など存在しない。創造的貴族は称号も王座も必要としないが、物語の方向性を決めるのは検閲ではなく、彼自身の法則なのである。

今のロシアでは、残念ながら平均を涵養するしかない。頂点を避け、幅の広い道路をつくる。個ではなく、全体が動員される。信頼できるマルクス主義者のほうが、勇敢な革命家よりも価値がある。塔よりもレンガのほうが使いやすい。トラクター！　トラクター！　トラクター！　全国がそう叫ぶ。文明！　機械！　ＡＢＣ教本！　ラジオ！　ダーウィン！　そして、金が神ほどの力をもつ心ない巨大な資本主義の国「アメリカ」を軽蔑する。同時に「アメリカ」という電気アイロンの、衛生の、水道網の、進歩の国を称賛する。人々は完璧な生産技術を欲している。しかし、その結果、自分たちを知らず知らずのうちにアメリカ的精神に適合してしまっている。これが精神的な無につながるのだ。古代文化、ローマ教会、ルネッサンス、人文主義、啓蒙運動の大部分、キリスト教的ロマン主義など、ヨーロッパの偉大な文化的功績はどれもブルジョア的だ。神秘主義、宗教芸術、スラブ主義の詩作、農民ロマン主義、宮廷社会文化、ツルゲーネフとドストエフスキーなど、ロシアの過去の文化的偉業は、もちろんすべて反動的だ。だから、ヨーロッパもロシアも、新世界の精神基盤の手本にすることはできないではないか。では、何が残る？　アメリカだ！　新鮮で、無知で、身体的・衛生的に合理的なアメリカの精神性だ。ただし、プロテスタント系宗派の偽善はいらない。その代わりに、厳格な共産主義の視野の狭い敬虔さを使えばいい。

現在、ロシアでは文学雑誌が想像できないほどよく売れている。しかし、部数を増やす陰で質が低下している。さしたる学がない者でも読むことができるが、教養のある者には読むに堪えない代物だ。

ロシアの若い流行作家は、誰にでもわかるような簡単な文体を用いる。とても原始的な言葉なので、ニュアンスや心情などを正確に伝える力をもたない。誰でも理解でき、誰でも使える。事実も、原則も、扇動もすべて一つの文体で語られるのだから。新しい劇場（この点については別の機会でも触れるつもりだ）は、技術的に見て信じられないほど完璧になった。狙った効果を実現するという意味で。その代わりに演技の繊細さは失われてしまった。したがって、情景を表現するのは舞台上の空気ではなく、技術装置なのだ。新しい「革命的」絵画はメタファーを多用するが、それらは象徴になるだけの力をもっていない。千の、万の、百万の力が解放された。それらはいつの日か、革命の炎よりも明るい光をともすことだろう。しかし、今はまだそのときではない。二〇年後もまだだろう。しばらくのあいだはヨーロッパの精神形態のほうが興味深い――たとえ、ヨーロッパの政治および社会の様相はおぞましいものだとしても。

「ロシア紀行」第一一回、『フランクフルター・ツァイトゥング』一九二六年一一月二三日

女性と新しい性道徳と売春

ソビエト・ロシアでは風俗がひどく混乱していると主張するのは、この国を誹謗しているに等しい。ソビエト・ロシアの性道徳がまったく新しいものに変わりつつあると考える者はのんきな楽観論者だ。

そして、この国でお利口さんのアウグスト・ベーベルの説を武器にして古い慣習に戦いを挑む者——たとえばアレクサンドラ・コロンタイ——は、まったくもって革命的ではない。〝平凡〟だ。

一般にこの国では「風紀が失われ」、「新しい性道徳」が生まれたとされているが、実際のところは愛というものが、学校の授業や映画や情報冊子で性について学んだ男女が営む、極めて衛生的な性行為だけを意味するようになったのである。そこには「駆け引き」も「誘惑」もなければ、燃えるような熱い思いもない。したがって、ロシアでは罪が、我々にとっての徳と同じぐらい退屈なものとみなされる。自分たちが猿から進化したことを知った人はその事実に誇りを感じながら、哺乳動物のしきたりや風習を自らに課すのである。つまり、イチジクの葉が失われ、自然が力を取り戻したのだ。結果、人は美に目がくらむことや自堕落に陥ることがなくなる。無理せず忠実かつ貞節でありつづけられる。医学的な知識のある野蛮人よりもはるかに貞操が固く、衛生に気を遣う規律心、用心深く行動する律儀さ、そして衛生基準と社会的義務を満たしたときに満足を感じる心を持ち合わせている。「ブルジョア的」な世界では、それらはすべて〝極めてつつましい〟とみなされる。ロシアでは、未成年者が誘惑されることも虐待されることもない。なぜなら、人は誰もが自然に従って生き、自分をもはや未成年ではなく大人だとみなす未成年者は、自らの意志で真剣に社会活動に奉仕するからだ。ちやほやされることがなくなった女性たちは魅力を失う。しかし、それは法における完全な男女平等が原因ではない。女性が政治的に社会参加するようになったからであり、社会のためにすることや事務所や工場や工房での仕事がたくさんあるからであり、集会や協会や団体や会議で公的な活動にも従事する必要があるため、欲望にに割く時間がないからである。女性の「公共性」があまりにも高まり、しかも女性自身がそのことに満足しているように見える世界では、当然ながらエロチックな文化は育たない（加えて、ロシア人の大衆はもとからエロスを粗野で田舎じみた功利的なものとみなす傾向があった）。ロシアの人々は、我々のもとではベーベルやグレーテ・マイゼル＝ヘスなどといった娯楽文学家が提唱した時代から始めようとしているのである。

＊

ロシアの人々は、自然の命令や単純な理性の声に率直に従うことが非常に「革命的」なことだと思い込んでいる。しかし、「革命的」な文化改革を経験したのはヴォルテールの偉大な精神だけではない。マックス・ノルダウの透明な影も改革を経験した。結果、いつもながらの偽善ではなく理論的ペダントリーが、複雑なしきたりではなく平凡な自然さが、洗練されたセンチメンタリズムではなく単純な合理主義が生じた。人はすべての窓を開けて……かび臭い空気を入れたのである。

〝愛〟とはつねに神聖であり、二人の人間が一つになる瞬間は必ず崇高であることが、彼らには理解できないようだ。戸籍役場をできるだけ簡素なものにしようと努力しているのがその証拠だ。戸籍役場は地元の警察署に組み込まれ、結婚と離婚と出生の届け出のためにそれぞれ机が一つずつあるだけ。結婚は警察に出頭するよりも簡単にできてしまう。みんな、形式というものを滑稽なほど恐れている。しばらくのあいだ、「共産主義の洗礼」はとても厳かな儀式だった。しかし儀式が行われることはなくなった。あるいは極めてまれにしか行われなくなった。平均的な結婚生活とは、（いつもの集会や会議あるいは「報告」や「講習会」のあと）夜遅くに同じ食卓を囲むことと数時間の睡眠をともにすることだけを意味する。夫も妻も昼間はずっと別々の会社で働き、会議しているからだ。仕事のない日曜日やいっしょに参加したデモなどで相性が合わないことにたまたま気づいたら、あるいはどちらかにほかに好きな人ができたら、離婚する。資本主義国に多い財産目当てで結婚した夫婦よりも、夫も妻も互いのことを理解していない。離婚率が我々の国よりも高いのは、人々がさしたる考えなしに「簡単に」結婚するからだ。浮気も少ない。だから、とても清潔だと言える。倫理観が高いからではない。夫婦関係が緩やかで、結婚の形が単純だからだ。私たちは哺乳動物なのである。四つ足動物との違いは、人間が性教育を受けているという点だ。

これらすべては、俗物的な古い「道徳」を排除するものではない。ロシアでは、人は通りの一部なのであり、通りは寝室をのぞき込む。人は片目を閉じることはできるが、千の目を閉ざすことはできない。だからロシアの通りはどの小姑よりも小市民的で、俗物的で、不機嫌なのである。

＊

〝法〟のほうがしきたりよりもはるかに革命的だ。法は嫡出子と非嫡出子をまったく区別しない。さらに次のような規定がある。仕事に就く女性が妊娠しても解雇してはならない。出産前の二カ月と出産後の二カ月は休暇が認められる。出産月の給与は二倍支給される。養育費は（収入がある限り）父親が支払う。事情によっては複数の男性が養育費を分担することや、母親が望むなら、父親である可能性をもつ人物として複数の男性を申告することもできる。人工中絶も認められているし、夫か妻のどちらか片方だけが望んだ場合でも離婚が命令される。「内縁関係」も戸籍局で正式に結ばれた婚姻と同等に扱われる。特定の条件下では、男も生活費を求めることができる。夫婦間における財産共有を認めない。さらに数多くの女性保護施設、児童養護施設、福祉委員会、乳児保育局などに対して支援がなされる。現代風に言うと人道的な法律と呼べるのだが、実際の現場では数々の困難やばかばかしさを抱えている。少し前まで養育費裁判で手いっぱいだった裁判所は、いまだに同じような裁判に明け暮れている。ほかの領域と同様、婚姻法も根本的に改革されつつある。目下のところ、理論は生活に合わせようとしているが、人は自らを法に合わせようとしている。そのため、今は最終的な判断を下すのではなく、不可欠な観察や考察を行うことに目が向けられている。西欧は新しいロシアの法律から〝多く〟を、社会福祉から〝すべて〟を学ぶことができる。一方、いわゆる新しい性道徳や慣習から学ぶべきものは〝何もない〟。なぜなら、それらは古く、一部は反動的でもあるからだ。たとえば、女性を婦人に降格させてしまうという恐れから手の甲に口づけすることが徹底的に避けられるが、これなどは反動的である。ロシアのどの都市でも通りにたくさんの花屋が並んでいるが、そこで花を買うのは若い女性ばかりだ。女性が女性の知人に贈るのである。その際、若い男性の同伴者はいらいらした表情で店の外に立ち、共産主義青年同盟員である自分はそのような「ブルジョア的感傷」の上に立つ存在だという態度をとる。これも反動的だと言えるだろう。平等の立場から女性を中性に変えるのも反動的だ。尊敬の心から、女性を女性のままにしておくのが革命的な考え方のはず。女性を自由にするだけなら、それは反動的だ。女性を自由にし、しかも美しくするのが革命的である。「人」

を「女」にすることは格下げを意味するのではない。本当の意味での格下げとは、自由でエロチックで生まれつき愛する能力をもつ人物を、性的に利用価値のある哺乳動物とみなすこと。「ダーウィン主義」は有能なロシア人革命家たちが思うよりも反動的だ。一方、彼らが――一般市民が財産の没収に怯えるように――恐れをなす形而上学こそ、無神論的な俗物主義よりもはるかに革命的なのである。「昔ながらの嘘」は面白みのない平凡な誠実さより数千倍革命的だ。さらに言うなら、プロイセンの女王らと同じように多くの共産主義者が毛嫌いする売春でさえ、自然科学的な理由からしぶしぶ認める性的自由に比べれば、人道的かつ自由な制度だと考えられる。

＊

ロシアの〝売春〟について語れることは多くない。法が売春を禁止している。公式発表でモスクワにおよそ二〇〇人の、オデッサには約四〇〇人の売春婦が街角に立っているとされるが、彼女らは捕まって警察へ送られたのちに、労働の現場へ連れて行かれる。大都市のいくつかにはわずかな数の売春宿もあるが、それらはどれもとても質素でみすぼらしく、風前の灯火だ。売春の斡旋は厳しく取り締まられている。そのため、人々の多くがモスクワを走る数少ない自動車を、公共交通という本来の目的以外のことに使うようになった。運転手は大もうけだ。一方、国が運営する貸自動車屋には夜に電話がひっきりなしにかかってくるが、皮肉なことに、その貸自動車でさえ悪用されることが多い。タクシーメーターのない自動車で一時間走行したときの料金は六ルーブルである（この話を書いていという話では、夜間に人を乗せている自動車は車内に〃明かり〃をともさなければならないというお触れが出たそうだ）。

＊

ロシアは決して不道徳ではない、ただ衛生的なだけだ。今のロシア人女性はふしだらではない。事実はその逆で、みんな従順な社会の一員だ。ロシア人の若者は自由奔放にはほど遠く、極端なほど教育されている。結婚や恋愛にやましさはなく、とても開放的だ。ロシアは罪の泥沼などではない。まさに自然科学の教科書のような国である……。

＊

この現状は激烈なプロパガンダによって推し進められ、維持されていると言うことができるが、同時に部分的には、過ぎ去った時代における甘く感傷的で低俗な偽りの恋愛観に対する自然な反応の結果でもあるとも考えられる。私が「自然科学的」と呼ぶ現段階の恋愛観について、新しい改革者たちが、より健全で新しい自然な愛の形につながる移行期だと考えるのなら、彼らの考えが正しいことを祈るしかない。しかし彼らが「形而上的」だと言って恐れるものを排除したうえで人間同士の自然な愛が達成できると考えているのなら、彼らは間違っていると言わざるをえない。肉体と意識だけに限られる性的関係がどのような様相を呈するかは、ここまで描写してきたとおりだ。だが幸いなことに人間には、性的に啓蒙された思春期の状態を、生ぬるい唯物主義を信じる〝うぶさ〟を、抜け出して成長する能力がある。「心」の存在を完全に否定する人物でさえ、いつの日か〝愛〟を通じて心の存在を知るのである。

「ロシア紀行」第一二回、『フランクフルター・ツァイトゥング』一九二六年一二月一日

教会、無神論、宗教政治

宗教は「毒」であると確信しているからといって、必ずしもその毒を生んだ者や広めた人々を積極的に敵視するとは限らない。その証拠に、ソビエト・ロシアでは教会は迫害されていない。教会のもつ権力と影響力を抑えつけようとするだけだ。神に戦いを挑もうともしない。神など存在しないと証明しようとするだけ。教会を破壊しない。いくつかを博物館に建て替えるだけだ。信じる心を罰しない。なくそうとするだけである。国家に敵対する、あるいは敵対する恐れのある宗教活動だけを禁止する。祭礼行列を阻止しようとすることもめったにない。代わりに、そのようなことをするのは愚かなことだと証明しようと試みる。つまり、教会との戦いにおいて彼らが用いる方法は、緊急手術というよりもむしろ予防措置に近い。若者の宗教活動はときにやっかいな問題に発展することがあるが、

老人の宗教活動は皮肉の種にしかならない。皮肉こそ、国家が教会に対して用いる最大の武器だと言えるだろう。現在の第二のソビエト・ハウスの左の壁、かつてイベリアの聖母が立っていた場所には今、金の碑文が刻まれている。「宗教は民衆のアヘンである」と(ちなみに、聖母像はそこから二〇歩ほど離れた場所にあるクレムリン門前のチャペルに移動されたが、今も祈りに来る人が絶えない)。しかし、この文言でさえ、最初の勝利の喜びを表現する古い言葉に過ぎない。現在、国家と教会のあいだは休戦状態が続いている。

それどころか、部分的には友好的な関係も結ばれている。たとえば宗教的少数派はかつてのどの時代よりもはるかに大きな自由を享受している。小さな宗派と大きな革命には、正教的皇帝専制政治《ツァーリズム》という共通の敵があるからだ。第一三回党大会において、宗派の扱いについて次の決議がなされた。「宗派の多くはツァーリズムにより残忍な扱いを受けた過去をもち、一部は今も非常に活発であることから、その扱いには特に慎重でなければならない。適切な方法を用いて、宗派の有する経済的文化的要素をソビエト労働の大きな流れに組み込む必要がある」。「全ロシア・メノー派農民協会」は非常に反動的な規約をもつことで知られるのだが、一九二三年に政府から承認されている。そして現在、共産主義プロパガンダがメノー派農民の貧困層あるいは中間層に浸透しはじめたことをきっかけに、協会の再編が進められている。モスクワに目を向けると、いくつかの宗教雑誌に混じって、「自宅での聖書研究」など革命とは相容れない内容を熱心に説くセブンスデー・アドベンチスト教会の月刊誌が出版されている。原則的に無神論である新しい支配者のもとで、イスラム教徒、ユダヤ教徒、ドゥホボール派、モロカン派など、有名無名に関係なくロシアで息づくあらゆる宗派の人々が自由に生活し、皇帝らに追われた日々に負った傷を癒やしているのである。これでもソビエト政府はいまだに宗教を迫害していると言えるだろうか？

迫害はしないが、反宗教〝プロパガンダ〟は行っている。「弁証法的唯物論」を突き詰めると、プロパガンダにたどり着く。できるだけ具体的で、冷静で、客観的なものにしようとする努力は費やされているが、それでもプロパガンダに攻撃性が宿るのは、発案者の責任ではない。なぜなら、第一に、あらゆる伝道活動のなかでも信仰を標的にするプロパガンダは、どうしても過激になってしまう。意見などとは違って信仰は感情に直結しているため、宗教に対するプロパガンダは相手の心を傷つけやすいからだ。第二に、無神論の宣教師らは攻撃することが使命なのだ。彼らの義務、彼らの職業は守ることではなく、あらゆる形而上学的と疑われる生活上の発言のなかに、それを引き起こしていると考えられる科学的に固定された「神経」を見つけることこそ、彼らの義務、彼らの仕事なのである。その際、彼らにできることといえば「神経に触わる」のをできるだけ避けることだけだ。だがその代わりに、感情を傷つけてしまうのである。

「唯物論」の主張そのものではなく、主張の〝正当さ〟が相手を傷つける。もちろん、扱いの難しい問題もある。しかし、そのような問題は日常的なプロパガンダの対象にするには向いていない。ロシアで広く浸透している扇動的な唯物論はいくつかのとても荒っぽくて乱暴な、ヨーロッパ人が耳を疑うほど時代遅れな「証明」を駆使する。たとえば、雷鳴と稲妻は電気的な事象である、世界は聖書が記すよりもずっと古い、世界は六日でできたのではない、人間は塵からできたのではなくて類人猿から進化した、などだ。特にこの「人は類人猿から進化した」という発見を、ロシアの人々は無邪気に喜ぶ。彼らはピテカントロプスを親戚にもつことに誇りを感じているようだ。まるでピテカントロプスからの遺産贈与を期待しているかのように。そんな遺産など、私たちはすでに使い果たしてしまったというのに。E・フェオドロフが農村部の活動家のために書いた『農村における反宗教プロパガンダ』という冊子のなかに、次のような記載がある。「聖ペテロ・パウロ祭は、〃資本家による労働者大衆の搾取を正当化〃し、反抗の試みを神の権威を用いて抑圧する目的をもつ祭日の一つである」。別の場所にはこうも書かれている。「怒り、喜び、不安、考えたり理屈を言ったりする能力など、我々の精神表現のすべては中枢の脳と神経の活動によるものである」。農民の信仰によると、雷鳴と稲妻を司るとされるエリアの日、六月二〇日は新しいロシアでも公式に祝われている。ただし、「電化の日」としてである。そのような冊子のなかには、教会の鐘の音に抗議しているものもある。鐘の音が神経を逆なでするから、そしてチューリッヒでは鐘の音が禁止されているからだそうだ。チューリッヒで本当に禁止されているのか、私は知らない。しかし、チューリッヒだ！　よりによってチューリッヒだ！　革命家がチューリッヒを手本にするなんて……。

音のしない鐘への望み、聖ペテロ・パウロ祭が大衆の搾取を正当化する目的をもつとする考え、「電化の日」、神経系を用いた心の表現の説明、怒り・喜び・不安・思考・理屈のたった五つしか心の表現の種類を認めない態度、聖書を「おとぎ話」とする主張、すでに啓蒙されたスイス・アルプスの真ん中の凡庸で平凡で俗物な猿人間……これらすべてがロシアの反宗教プロパガンダの非革命性、反動性、俗物性を証明している。

かつてゴーリキーはある著作のなかでこう書いた。「神の探求はしばらく延期する必要がある。君たちには神がいないのだから！　君たちはまだ神を創造していない！」。これに対して、ゴーリキーはレーニンから反論の手紙を受け取った。「要するに、あなたはしばらくのあいだだけ神の探求に反対するということだ！　すべての神は疫病に等しい。個人ではなく社会の観点から見た場合、神の創造とは愚かな小市民による自己愛にほかならない。神とは何よりもまず、知力を失われた人間と外的自然と階級の抑圧によって生み出された観念の集合体なのである」。

このやりとりが行われたのは一九一三年だった。当時の彼らは、敬虔な者が悪魔に感じるのと同じぐらい強い不安を神に対して感じていたのだが、その不安は一八九〇年代に生まれたものだった。しかし、今はすでに一九二六年である。当時から現在までのあいだに、私たちは戦争を、死を、大革命を、そして偉大なレーニンを経験した。レーニンが死んだとき、ロシア全土に動揺が広がったが、それは決して「神経系の働き」などと呼べるものではなかった。今の私たちは、「真実」には程度があることを知っているし、「非真実」に真実が含まれることも知っている。だから、私たちにとっては、何かが「ただのおとぎ話」に過ぎないと言われても、それを信じない理由にはならないのだ。私たちはずいぶん前にピテカントロプスの存在を受け入れたし、啓蒙も消化した。「奇跡」は「説明できる」という発見を喜ぶ道を、私たちはすでに通り過ぎたのである。そして現在は、「説明可能なもの」もまた奇跡であるということを理解する道を歩んでいるのだ。要するに、私たちは二〇世紀を生きている。一方、ロシアの精神は――政治ではなく精神は――今ようやく一九世紀の最後の一〇年を生きているのである。

ある若い農民共産主義者が新聞に次のような投書をした。

「畑仕事が終わると、村の中心がふたたび活気を取り戻します。私たち若い労働者や農民は、自由な時間に何をすべきか知りません。だからみんな〃第一に〃日曜日には礼拝に参加して、〃第二に〃あれこれと悪事を働くのです……」。

この投書を読めば、日曜日ごとの礼拝の正体が「ひどくばかげたこと」である事実を暴き出したことに誇りをもつこの国の唯物論が、じつは信じられないぐらい原始的であることがわかる。また、これまで誰にも知られていなかった〃平均的ロシア人の宗教的無知〃についても、少しは理解できるかもしれない。平均的なロシア人の信仰は、今の不信仰が原始的な自然科学にもとづいているのと同じように、原始的で感情的な宗教形態のみにもとづいていた。背教者に非常に厳格な態度で接した教会は、それがゆえに背教や離教の下地をつくっていたと言える。その教会は一時期、回教徒のハーンたちに奉仕し、ロシア人の農民に敵対していた。その後、教会は皇帝側につくために、総主教の息子である初代ロマノフをロシアに差し出した。修道院は農奴の労働をあてにしていた。トロイツコ・セルゲーエフ修道院は一〇万六〇〇〇人の、アレクサンドル・ネフスキー・ラフラ修道院は二万五〇〇〇人の農奴を働かせていた。二〇世紀の初め、ロシアの教会は二六一万六〇〇〇デスヤティーナ（ロシアの古い面積単位、一デスヤティーナはおよそ一・一ヘクタール）の土地を有していた。モスクワ府主教の年収は八万千ルーブル、ノヴゴロド大主教は三〇万七五〇〇ルーブル、ペテルブルク府主教は二五万九〇〇〇ルーブルだった。正教の聖職者たちは今も昔も、「神に奉仕する者」というよりはむしろ手先、あるいは儀式の執行者と呼ばれる存在に近かった。彼らは祈りを神に届ける存在ではなかった。ある意味、人々の信仰は彼らの頭上を素通りしていたのである。彼らが求めたのはあくまでも収入であり、地位ではなかった。聖職者ではなく使用人のような心構えで、お布施を受け取ってきた。

西欧では、ロシアでは農民ですら「神を探す者」だと広く信じられているが、これは文学（ペーター・ローゼッガーの『Der Gottsucher』（神を探し求める者）をさしていると思われる）の誤解に基づいている。農民は自然により近い関係にあり、形而上的にはあまり満足していなかった。今になってようやく、原始的な自然科学の段階を、合理主義の初歩を終えようとしているところだ。もしかすると、彼らも知識人や精神性に富む者たちと同じように、のちに裕福な教会の魔法に屈するのかもしれない。教会の息子になった者たちに聖職者は必要ない。彼らは自分たちが信じる対象と直接結びついているのだから。

鐘の音を聞くと、ロシアの教会の異質さが、いや、不気味さが伝わってくる。数多くの鐘が同時に鳴り響く。高い音が低い音の邪魔をする。低く重い古鐘の鳴る間隔が次第に早まっていく。まるで、新しい鐘に負けじと意地を張っているかのように。全世界で、鐘は水平に揺れるものと相場が決まっているが、ロシアの鐘は踊り子のように円を描いているのではないかと思える。とてもやかましく、まるで地上に、すぐそばの道にあるかのようだ。しかし実際には上空で、塔のなかで鳴っている。澄み渡った夏の日に姿が見えないほど高い空を飛ぶヒバリの鳴き声がはっきりと聞こえてくるのと同じように、本当は遠くにある鐘の音が近くから聞こえてくることに、驚かざるをえない。

鐘が鳴ると、男たちは地面にひざまずき、農民たちは立ち止まることなく三度十字を切るが、これは機械的な行動だ。物乞いたちは、まるで入場料を徴収するかのように、教会の前に立っている。顔を教会の内部――司祭がまとう銀、青、赤、金のローブ、祭壇の後ろにある金色の繊細な飾り扉、太い金色のろうそく――からあふれ出る輝きに向けて。全身を黒で覆った女性たちが明かりから明かりへと渡り歩き、短くなって火が消えたろうそくをまとめて、また大きなろうそくにつなぎ合わせる。黒くて小さくて身軽で静かで眼鏡を掛けたその姿は、礼拝が終わると梁やつなぎ目にとまる教会好きの敬虔なフクロウそっくりだ。棺から立ち上る司祭の暗い低音と、上から聞こえてくる女性の明るい祈りの声。祈りの旋律と音色も、鐘の旋律と音色と同じ。鐘も喉も、同じ音響法則に支配されている。

教会を訪れる人の数は想像以上に多い。修道院は時代の変化に伴い「労働共同体」に様変わりして、所有する土地を耕し、比較的高い収穫を教会や司祭に届けている。ハルキウ（ウクライナの農民はとても信心深い）では、一〇月のある日に人々が厳かな行列をつくり、夏のあいだ作物の成長を見守ってもらうために周辺地域に移動させていた聖像をふたたび町へ運び戻した。辻馬車が通れないほど多くの人で道があふれていた。周辺の村の人々が全員町にやってきたと思えるほどだった。すべての鐘が打ち鳴らされ、人々がひざまずく。濡れた舗装路に額をつける人も多い。いかにも一〇月らしく、小雨が降り、人々の頭上の空気には落ち葉と香煙の香りが漂っている。夜になった。村の集会所で講義が始まる。そこで読み書きを習い、人間の由来と天上には何もないという事実を学ぶのである。

このように、教会が迫害されているというのはひどい中傷だと言わざるをえない。本当の戦いは、もっと〝別の次元〟で行われているのである。新鮮で味気ない陽気な合理主義は、文学、詩作、エッセイなどあらゆる精神活動のなかに見つけることができる。宗教を否定する態度は時代遅れで、平坦で、退屈だ。人の理解を超えるすべての現象を「スピリチュアルな婦人の茶飲み話」と決めつけて自分を利口に見せようとする「教養人」にできることといえば、皮肉なことに、賢い「無神論者」である自分を中途半端な独学者におとしめることぐらいなのである。ロシアの空気には自信に満ちた、視野の狭い、慌てて啓蒙された精神のにおいが漂っている。「すべてが載っている」百科事典のにおいが……。

「ロシア紀行」第一三回、『フランクフルター・ツァイトゥング』一九二六年一二月七日

村に広がる町

〝ロシアの農民〟の文明化と人間性の回復、そして地主の、特権的な鞭うち階級の、グロテスクな奴隷制度の、「父権的」乱暴者の根絶。これらが大革命のもたらした最大の人道的、歴史的功績である。ロシアの農民は永久に解放された。彼らは美しく、赤く、厳かに、自由な人間の列に加わったのである。

皇帝が支配していた時代のロシアほど、都市と農村の差が大きかった国は、世界のどこを見渡してもほかにない。農民は都市から星よりも遠く離れて生きていた。したがって革命後のロシアにとって最大の悩みの一つは、都市をどうやって農民にもたらすか、という問題である。農民のプロレタリア化を歴史的・経済的発展のみに委ねるわけにはいかない。都市は自然と村へ広がっていく。村を「工業化」する。村に教育とプロパガンダと文明と革命を届ける。農村にも理解できるように、都市自体の水準を引き下げる（これはロシアのあらゆる精神分野において実感できることだ）。かつて、「大衆

のもとに下り」、つまり貧しい農民と手を組み、彼らの「怒り」の火を燃やすことが、スラブ主義・民族主義的革命家知識人の夢、ロマンだった。それに比べて、共産政府による農村の革命はどれほど合理的で、数学的で、精密で、実用的なことか！

農民に革命をもたらす――しかしその前に資本主義的な文明化を成し遂げる。これこそが革命における最も困難な課題だと言えるだろう。革命は、いわば社会主義の名の下で「資本主義文化」を広めなければならない。加えて、西の人々が資本主義の一〇〇年の発展を通じてたどり着いた場所に、ロシアの農民を〝一〇年〟で導かなければならないのだ。同時に、「ブルジョア心理」の芽はすべて摘み取る必要もある。しかし、「心理」を取り除くのは容易なことではない。革命が進めば進むほど、この課題は難しくなっていく。所有の合理的な使用という資本主義的な教えと「集産主義的感覚」を、どう結びつければいいのだろうか？　この点に、革命における最大の危機が潜んでいる。結局のところ、革命は自らの意志に反して、農民の〝ブルジョア化〟を推し進めているのだろうか？　革命は社会主義を宣伝しながら、実際には社会主義の発展を阻んでいるのだろうか？　文明化にエネルギーを費やしすぎではないのか？　次の段階へ社会主義化を推し進める力が残っているのか？

今のところ、原始的な農村の民は文明と共産主義を混同している。今のところ、ロシアの農民は電気、民主主義、ラジオ、衛生、アルファベット、トラクター、秩序ある裁判権、新聞、そして映画館は革命の産物だと思い込んでいる。しかし、文明が農民を「土地」から解放する。彼らはそのうち「農業従事者」になる。「自覚あるプロレタリア」になるには絶対に避けられない道だ。社会主義は機械の奏でる音楽がなければ繁栄できない。だから機械が必要だ！　トラクターだ！

だが、人間よりもトラクターのほうが強い。兵士よりも銃のほうが強いのと同じことだ。利益を拡大するための道具は、利益だけでなく「ブルジョア心理」も生み出してしまう。「集産主義的感覚」をもとから持ち合わせない農民の場合はなおさらだ。

無意識で「プロレタリア化」に抵抗している農民を、反抗的な半ブルジョアに育ててはならない。小さな問題に対処することでより大きな問題を引き起こしてはならないのである。では、どうすればいいのだろうか？ 共産主義を扇動すること。プロパガンダ。学校、集会所、劇場、新聞、赤軍の奉仕による共産主義文化の意図的な浸透、あるいは少なくとも〝同時期の〟流布が必要になる。「非識字者の撲滅」とは、この文脈では、ブルジョア化の阻止、個人所有の意識の根絶、いまだに存在する「クラーク」（富農）に対する敵意の維持を意味している。

つまり、ロシアにおける農民の文化政策には、農業の機械化と人間の都市化、農地の工業化と農民のプロレタリア化、農村のアメリカ化と農村住人の社会主義革命化、という矛盾する原則が含まれている。これら矛盾から、いわゆる「内在的問題」が生じるのだ。これこそが、〝ロシア革命が抱える問題〟である。この問題への対処の仕方によって、革命が新たな世界秩序につながるのか、古い秩序の最大の名残を駆逐することができるのかが決まる。革命が新しい時代の幕開けなのか、それとも古い時代の終わりなのか、革命が西と東の文化のバランスをある程度均等にしただけで終わるのか、または西側世界を転覆させることができるのかがわかるだろう。

〝村の表情〟はほとんど変わっていない。私はすでに戦争を通じてウクライナの農村を知っていた。そして八年後の今、ふたたび目の当たりにしている。村はいまだに少年時代の夢のような姿をしている。戦争、空腹、革命、内戦、チフス、処刑、火災、すべてを乗り越えてきた。フランス北部の戦地では、木々からいまだに焦げくさいにおいが漂っている。それに比べて、ロシアの大地のなんとたくましいことだろう！　ロシアの木々は水と樹液と風のにおいがする。都市でも出生率が高いが、農村ではもっと高い。かつて死者で覆われていた大地ではパンのための小麦が育っている。以前と同じ鐘の音が誕生と婚姻を告げる。東の鳥、カラスが数百羽の群れをなして木々に止まっている。灰色一色の冬の空はとても低く、まもなく降り出すだろう雪を含んでとても柔らかい。屋根はいまだに藁とこけらと粘土でできている。家畜と人が共有する小屋のほとんどはいまだに三部屋。壁と土間には今も新鮮な肥料液を塗っているため、数週間は強いにおいが消えないが、そのあとは銀色っぽく輝く美しい色が長続きするし、農民たちの言葉を信じるなら、保温効果もあるそうだ。

*

一方、大きく変わったのは〝若い農民〟たちの表情だ。彼らは「文化」や「都市」や「領主」に対する無意味で、あわれで、臆病な敬意を失った。彼らはいまだによそ者に対してうやうやしい態度をとるが、それは彼らがホストとして客を迎え入れるからである。彼らは解放された者としての美しくも誇り高い親密さを身につけた。夜には集会所でアルファベットを、絵画を、地理を、農学を学び、集会では自信をもってはっきりと自分の意見を押し通し、壁に役人や役所を風刺する絵を描き、よそ者が乗ってきた自動車を見ても混乱せず、機械の製造国や製造年、あるいは用途を知ろうとする。女性は住居を、動物を、子供たちを清潔に保つ方法を学ぶ。男性よりも早くそして前向きに学習する。誰もが都市に慣れ親しんでいる。「専門技術」学校に通う少年もいれば、赤軍に入隊する者もいる。村に戻ってきて講義をし、報告や苦情をしたためる者は女性にとても優しい。ありきたりで深みのない学問、あけすけな性教育、絵画や書籍の安っぽい流行など、都会では平凡で低俗とみなされるものすべてを、村落の人々はそのままの形で直接、そして最大限に有効利用する。地方の空気のなかでは、紙も乾いたにおいを漂わさない。農民は、農民を賢くするための冊子よりも賢く、農民を教育しようとする扇動者よりも発想豊かに、農民に詠いかける詩人よりも芸術的に、マニフェストの言葉よりも真の意味で革命的になる。現在、本当に革命的な人々は農村に住んでいる。町では英雄に代わって官僚が幅をきかせている。共産主義への試験を最優秀の成績で突破し、第一三回党大会の決議を暗記することができる官僚たちだ。

もちろん、農民といえども(古いタイプの臆病者でない限りは)「不況」に、税金に、果たされない約束に、手に入らないトラクターに、錆付いたほかの機械に、真のあるいは一見したところの不正義に対してはっきりと不満を漏らす。しかし、農民が不満を漏らすことのない農村など、世界のどこを探しても見つからないにちがいない。人類の歴史のどこを切り取っても、農民に一つの不満もなかった一年などあるはずがない。ロシアの農民は、革命が自分たちにどんな恩恵をもたらしてくれたか、よく理解している。彼らは大富豪、帝政警察、スパイ、軍隊、小作人、所有者のことを忘れていない。

革命にとってつねに脅威となるクラークはいまだに存在している。臆病さを次第に失い、抜け目なく危機を逃れることに長けた、狡猾でつかみどころのない脅威である富農が。

当然ながら、ロシアの農民たちの大部分は政府のなかに流れているのは自分たちの血だと考えているが、同時に政府をとても遠い存在に感じている。彼らは政府を遠い存在、「上」に鎮座するものとみなすよう教育されてきた。加えて、ロシアの政治学者の多くは、農民たちの特別な心理状態についてまったく理解していない。もしかすると、都市部がそうであるように、このまま啓蒙が進むと農村部でも平凡が生じるのかもしれない。しかし、今のところまだ農村では下僕が人間に生まれ変わるすばらしい情景が見られる。

「ロシア紀行」第一四回、『フランクフルター・ツァイトゥング』一九二六年一二月一二日

世論と新聞と検閲

重要なことを「禁止」するのは反動的独裁者(ムッソリーニなど)の常套手段である。一方、ロシアのプロレタリア独裁者は〝禁止よりも指導〟を、罰よりも教育を(現在でも)重視する。そのため、取り締まりというよりも予防と呼ぶほうがしっくりくる。したがって、――ロシアでは革命以前も広範な世論というものが存在しなかったこともその一因だろう――この国における共産主義の検閲は、大

衆ではなく知識人や芸術家、哲学者や文筆家を抑圧しているようだ。その一方で、検閲が一般大衆に実用的な世論の使い方を教える役割を果たす。新聞も検閲に一役買っている。新聞が真実を伝えないからではない。検閲の意志を宣伝することに手を貸しているからである。検閲の意志とはすなわち政府の意志だ。新聞は政府の機関であるがゆえに、検閲の機関にもなりえる。つまり、検閲者が新聞を編集できるということだ。結果、新聞はある程度自由に意見を発表することができる。検閲者とジャーナリストは(実際にあるいは立場上)同じ世界観に立脚している。どちらも、少なくとも国家宗教を批判することはない。この無神論の国では、共産主義というイデオロギーこそが国家宗教である。共産主義者であると認める者、あるいは少なくとも共産主義に理解を示す者だけが批判する権利をもつ。ただし、批判が限度を超えてはならない。もちろん、度を超した批判をする者などいない。なぜだろうか?

国民がロシアの新聞宛てに送る数々の投書を読めば一目瞭然だ。どの新聞も、さもうれしそうに批判投書にコラムを割いている。世界のどの国を見ても、ロシアほど多くの批判が公に行われる例はないだろう。かなり厳しい批判もある。非難、攻撃、侮辱、大っぴらな訴え、何でもありだ。それなのに、それらが国を、国家イデオロギーを脅かすことはない。なぜか?なぜなら、国家が、検閲が、そのための機関である新聞が、大衆を批判者に育て、彼らに使うべきスローガンを与えるからだ。要するに、今後数カ月のための世論のガイドラインを大衆に示すのである。国家が営む知的で利口なスポーツフィッシング、と呼べるだろう。太った「批判対象」をつけた針が上から投げ入れられ、批判したくてうずうずしている大衆がそれに食いつくのだ。私が思うに、批判が〝人間および大衆の本能

〝であることに気づいたのは、世界でもソビエト政府だけではないだろうか。政府がこの本能を育み、導き、利用する。この手法を用いるのは正当なことだ。なぜなら、歴史的な観点から客観的に見た場合も、ロシアの大衆は現在でもそのような指導を必要としているからである。上からの指導がなければ、彼らはいまだに「世論」の形成を始める力をもたなかっただろう。また、ソビエトという国にとって、この方法は極めて優れたプロパガンダであることは言うまでもない。国家が批判を抑圧していると糾弾されても、新聞を見ろと言うだけで非難を退けることができるのだから。

ロシアで新聞に印刷される目に見える形の世論が、文明国の表現の自由とどんな点で異なっているのかを知るには、この国に住んだうえで、個人が口頭で発する批判を（その機会はめったにないが）直接聞いてみるしかない。公に行われる大々的かつ国家に忠実な批判は、パロール《標語》とスローガンと見出しの批判である。現在のロシアで目にする「世論」は、大衆に向けて叫ばれた言葉を（かけ算ではなく）足し算的につなぎ合わせた〝こだま〟の集合体に過ぎない。それに慣れてくると、こだまの出どころである発信者がわかるようになる。発信者は上にいる。

そのため「社会問題」のほとんどは、誤字脱字の一つもない完璧な雛形が用意されているのではないかと思えるほどしっかりと定義されている。そして数カ月ごとに定義が更新されるのだ。私たちの西側諸国では、批判は芽生え、集まり、力強い言葉にまとめられ、その力を前面に押し出すのが自然な流れだが、ソビエト・ロシアはその真逆を行く。まずは言葉、それが集まり大衆のもとに下り、そこで初めて批判が生まれるのである。

このように、ロシアの世論はまだまだ初歩的な段階にあり、上から教えられるものなのだ。時期や必要に応じて、次のようなスローガンが利用される。裏切り者を軽蔑せよ！　ただ飯食らいを許すな！　悪党に制裁を！　賄賂を受け取った者を処刑せよ！　無政府主義者に死を！　共産主義の理論家たちは一般人にも理解できる言葉を使うことで世論誘導をサポートする。レーニンの著作からだけでも、力強いパロールを数多く拾い集めることができる。それらを映画のスクリーンに、新聞のコラムに、宣伝ポスターにちりばめるのだ。「工業化は社会主義国家の基礎である」や「我々は社会主義を建設する」など。そのような文言が何度も繰り返され、それらをもとに新たに決議文が書かれ、党大会で決議が発動する。そのうちスローガンが脳に浸透し、人々から考える力を奪い去る。結果、根本的な主義主張よりもむしろ、ものの見方という点で統一性が生まれる。私は、若者、労働者、学生、公務員、それどころか（本など読んだこともない）身寄りのない子供たちとも、数え切れないほど討論した。さまざまな職業の、性格の、気質の人々と話をした。暗い人も明るい人もいた。プロレタリア、小市民、才能ある者、愚かな者や賢い者も。なのに私の主張に対して、誰もが同じ言葉で反論するのだ。彼らの最初の回答を聞けば、その後の議論がどう進むかすぐに理解できるほどに。発行されたばかりの新聞の記事に書かれていた言葉をそのまま彼らの口から聞いたことも何度もある。そのため、私はロシア人の精神の質を評価することをやめ、ただ彼らの主張の出どころを探るようになった。個人的な才能よりも、彼らがどこから情報を得ているかを知るほうが、彼らの人となりがよくわかるからだ。この国では〝一般的な平均化〟が行われ、いくつかのわかりやすい方向標識に従う極めて単純な心理風景ができあがりつつある。公式の考えと認可された論法があるため、さほど知性のない者でも複雑な問題に、正確ではないにしても、なんとなく答えることができる。そして、いまだに議論を修辞学から、喉を蓄音機から区別することを学んでいない者は、平均のもつ力に圧倒されるしかない。

新聞を読めば読むほど、万年筆とタイプライターと引用と脳の機械化の大量投入に対する敬意が大きくなっていく。新聞をつくるのはジャーナリストではなく、信頼の置けるイデオロギーの実践者および手先たち。日々の記事と写真、生活における裸の劇的な物語など、実質的に新聞の骨格をなすものは一般に「ジャーナリズムの雑役」などと呼ばれるが、ロシアの新聞ではそれらが原始的で、俗物的で、ぶざまだとみなされる。新聞の六ページのうち、ほとんどの場合、三ページが決議と会議および集会の報告にあてがわれる。党大会が行われた日には、外国からの政治報道などに割かれるページは一ページも残っていない。それに加えて、党の大物が書いた記事は――それが緊急性も重要性もないものであっても――省くことが許されないので、絶対に掲載される。一方では、絶対に掲載されてはならない種類の記事も存在する。たとえば、党員で唯一重要な記者であるカール・ラデックの記事だ。モスクワ最大の国立映画撮影所で火災があっても、それが〝モスクワの〟新聞に載るのは一日半後。ジャーナリストの怠慢だと思えるが、すぐに報道しないのは「事件そのもの」を軽視しているからではない。現実の生活、日々の生活、人間の生活を完全に軽視しているからである。日常をどうでもいいこととみなし、きれい事を並べただけの、おしゃべりがすぎると思えるほど表現豊かで安っぽい会議の教えを、中身がないのにデータと数字と事実に基づいているという理由で斬新だと思われている「討論」を、やみくもに重視しているからだ。人は広間に入り、窓を閉め、明かりをともし、記事を手に取り、その内容を理論に合わせて書き換え、または理論を内容に合わせて修正しながら、現実を見ていると信じるのである。閉ざされた窓の外では、生き生きとした現実が繰り広げられているというのに。だから新聞は屋内で起こった出来事を報道する。

その際、「信憑性」には特に気を遣う。すべての情報を「現場から直接」報道するという姿勢をとる。そのため、工場には労働者専用の特派員がいるし、村には村の、学校には学校の特派員がいる。読者も、ある意味新聞づくりに参加している。「読者からの投書」や「偶然現場に居合わせた目撃者の報告」も専門家による報道と同じレベルにあるとみなされるのだ。誰もが自分自身の記者になれるということ。世間の人々を新聞に参加させるというこの教育は非常に重要な試みであり、ソビエト・ロシアが初めて行っているこの実験から、いつの日か全世界の報道機関が学ぶ日が来るのかもしれない。しかし、ソビエトの報道機関はこの種の私的な信憑性で満足してしまっているため、「新聞報道」には初歩的な「目撃証言」程度の価値しかない。読者特派員のシステムがあるため、編集部や政治中枢はすべてを理解しているという錯覚に陥る。この知識はどこから来たのだ？　読者（私的特派員）が〝自分でそう言った〟ではないか！　この国の若い報道機関は、若い政府は、生活を映しとるには映し鏡が必要なことを知らないのだろうか？　ティーポットや鍬や肉包丁を鏡にすることはできないことに気づかないのか？　自分を写真に収めることは物理的に不可能。撮影対象がレンズをのぞいて自らを撮影するなどできないのである。そのため、ロシアの新聞はほぼ真実の事実と、ほぼ間違いの報道ばかりである。自白はあるが解明はない。報告はあるが写真はない。それゆえに、自分の目で見る〝外国人ジャーナリスト〟のほうがロシア人のジャーナリストよりもロシアのことを〝よく理解している〟のである。

ちなみに、ロシアの報道機関は外国人ジャーナリストに(ジャーナリストではない外国人にも)特別な関心をもっているようだ。外国人のもとにインタビュアーがやってくる。重要案件だ! 外国人がやってきた! まるでアメリカだ。ほとんどの外国人は、とにかくちやほやされる。西欧の貯蓄銀行のブルジョア副頭取で、仕事を離れればいつも同じ場所でおとなしくカード遊びをするだけの人物が、この大革命国家では大々的な記事になるのである。副頭取が来た。預金通帳について講演するよう依頼された。そうしたことが翌日の新聞に載る。そして副頭取にはクレムリンの特別入場券が支給され、翌日には彼がクレムリンを訪れたことが記事になる。ドイツ国家人民党の幹部の一人――ドイツ国内では国会議員かつ立派な教授として尊敬されているが、それ以上ではない――のために、ロシアでは特別な歓迎会が開かれ、ビールがふるまわれる。ビールを出すことがドイツ国民に対する尊敬を示す特別な象徴と思い込んでいるのである。いわば「インタビューする」ためにこの国に来た私のところにも、インタビュアーが来て、「ヨーゼフ・ロート氏がやってきた」という記事でロシアを驚かせた。私はきっぱりと、自分は保守派でもないしドイツ国家人民党とも無関係だと説明したにもかかわらず、だ……。

ロシアの報道に欠けているものは明らかだ。政府からの独立、読者への依存、そして世界に関する知識である。読者を尊重することでジャーナリズムは実を結ぶ。検閲を尊重すると、報道は不毛になる。先入観をもたずに――何も考えないという意味ではない――世界を眺めることで、記事に命が宿り、わかりやすくなる。イデオロギーに結びついた世界観は、田舎じみた、視野の狭い、なおかつ間違った報道を生み出してしまう。ここでいう「田舎じみた」とは、地理的な意味ではなく、精神的な意味で使っている。窮屈なしがらみに縛り付けられても、融通の利かない原則に縛り付けられても、いずれの場合も視野が狭くなることには違いがない。それに、ソビエトの報道機関としての観点から見ても、国の外から誰かがモスクワにやってくるたびに大騒ぎするより、自分たちの敵であるブルジョア世界についてよく〝知る〟ほうが有益だろう。また、世界を知りたいのなら、山に登って一つの地点から見下ろすよりも、世界を歩きながら観察するほうがいい。なのにソビエト・ロシアの人々は世界を塔の上から眺める。マルクス、レーニン、ブハーリンの書物を積み上げてつくった塔の上から……。

「ロシア紀行」第一六回、『フランクフルター・ツァイトゥング』一九二六年一二月二八日

ロシアの神

神は、かつて国家宗教に押しつけられていたやっかいな課題から解放され、匿名の存在となって誰にも気づかれずにロシアの道をさまよっている。政治にかかわることを法で禁止され、政治家たちから無能な敵、存在しないものとみなされて。神の名において迫害が行われることも、兵士が奉仕を宣誓することもなくなった。地上で繰り広げられる警察沙汰に介入する必要もない。神は休暇を得たのだ。

雷鳴も稲妻も雹も神の仕業とは言われなくなった。地上の善と悪に自分を合わせる必要もない。大物の人物を守るために名前を貸してやる必要もないし、教会の鐘も聞き流せばいい。婚姻も天上で結ばれることはなくなった。人々は安全な戸籍役場で籍を入れるのだから。神が今なお存在するのは、古くさいことわざや驚いた女性の叫び声のなか、ネップマンが人をだますとき、あるいは裁判になれば何の証拠にもならないであろう、その場しのぎで口から出た誓いの言葉のなかぐらいだ。神に誓うことは無意味な行為なのである。

　共産党が神の役割の大部分を引き継ぎ、いわば神を数多くの小さな神に分割した。人間は自分の足で地上を歩む。何が起こってもおかしくないが、何も起こるはずがない。国家警察が全知全能の力を受け継いだのだから。神は人間には計り知れぬ神意だけにかかわっていればいい。神にできることは人知を超える何かの管理と永遠という時間の維持だけだ。しかし終わりあるものの支配はもはや神の責任ではない。それでもまだロシアで自分が口出しできる機会があることに、神は心から喜んでいるに違いない。

「教養ある人間がどうすれば神を信じられるというのです?」とある男が私に尋ねてきた。政府の高官は「我々は意図的に無神論者になったのであり、そのことに誇りをもっている」と言った。「あのおじさん、いまだに神を信じているのよ!」と母親が一二歳の子供に言う。その母親は蓄音機をもっていて、毎晩シュトラウスのワルツに耳を傾けるのだ。「空は青い空気。神はどこに座ればいいの?」と子供が問う。「神は我々の前にひざまずき、『ジャヴァ』(たばこの銘柄)を恵んでくれと頼んだ」——たばこを主題にした現代詩人の作品だ。「レーニンが死んだとき」あるガチガチの共産主義者が言った。「私は死体を見に行きませんでした。私は死者をあがめるようなことはしません。そんなことは宗教信者に任せておけばいい」。ある労働者は「私たちが人々を教育するのは自立させるため。だから神を追い出したのです」。「私たちは電車をつくります。電車は目で見ることができます」と、バクーで話した技師は言って、さらに続けた。「神は私たちに鉄道をつくってくれましたか？」。彼は自分で見られるもの、聞けるもの、におえるものだけを信じるのである。神とは文学に登場するもの、つまり芸術家の自由創作であり、ドストエフスキーに言わせれば、てんかん症状の産物なのだ。

では、神にはほかに何をすることがあるのだろうか？　異国風の服を着た老人として、誰にも気づかれないまま町をそぞろ歩くだけ。記者が静かな通りを歩く神に出会う。上がったばかりの雨で濡れたでこぼこの舗装路にはたくさんの水たまりができている。たそがれどきの東の空に虹が弧を描き、夕日が西に沈んでいく。

「私は今日〝外国文化交流研究所〟に行ったのだよ」と神は言う。「人々が私を案内してくれた。クレムリンも観に行った。きれいに片づいた教会を見せてもらったよ。英語を話す通訳がいてね、私にすべてを説明してくれた。だが、私は建築様式や死んだ皇帝の棺には関心をもてなかった。彼らは私のことを変わり者と思ったに違いない。ある部屋のなかで、一匹の蝿が、緑色のスペイン蝿が飛んでいた。『蝿の言葉を』私は言った。『通訳してくれ』。すると通訳は『ばかなアメリカ人め』と指導者にロシア語で言ってから、私にはこう言ったのだ。『蝿の言葉はわかりません。我々の国の学問はまだそこまで進んでいませんので』。指導者の口髭にはパンくずが引っかかっていた。『朝食を済ませたばかりなのだね』と私が言うと、通訳が翻訳した。このように、私は細かいことに興味があるのだよ。レーニンの霊廟も見せてもらったのだが、入口の前に錆びた釘が落ちていた。私は釘を拾い上げて尋ねてみた。『どうしてここに釘が落ちているのかね？』。だが、誰も答えを知らなかった。私は教会に入り、あまり目立たないように物乞いに施しを与えた。信者たちはとても上手に歌った。司祭の低い歌声はとても美しい。ひざまずく男の足を見ると、靴底に穴が開いていた。『あの穴はどこで開いたのだ？』と付き添いに尋ねたのだが、彼には答えられなかった。

確かに、彼は稲妻の仕組みを知っている。だが、そんなこと私は一度も隠したことがない。ごらんのように、人々は私のことを信じなくなったけれど、小さな事柄についてはまだ何も知らない。信じてもらえないかもしれないが、私はうれしいのだよ。国家や政府や産業や政治のやっかいごとから解放されたことが。首長の健康や、子供たちのモラルや、将軍と化学の良好な関係などの責任を押しつけられることがなくなったのだから。もうガスマスクに祝福を与える必要はない。白軍の兵たちですら、もはや私が彼らに何もしてやれないことを知っている。私は毎日二〇ルーブルを払って〝サヴォイ〟に住み、なすがままに私の存在を否定させている。これからマイヤーホルズ劇場へ行く。私を誹謗する芝居をやっているから。罰を与える必要もない。あなたにはわからないかもしれないが、今日はすばらしい夜になるだろう！」。

日が暮れて、神は辻馬車を呼び、御者を相手に長々と話し込む。「君の鞭にはいくつの結び目があるのかね」と神が尋ねる。「旦那、そんなの数えられませんや」と御者が答える。「神のみぞ知る、ってやつですよ」。

記者はその場を立ち去り、日記をしたためる。「今日、神と話した。ロシアにいる神はフランスにいる神と同じように生活していた」。

『フランクフルター・ツァイトゥング』一九二七年二月二〇日

あとがき

赤い幻滅　ヤン・ビュルガー

一九二六年一〇月一〇日、ヨーゼフ・ロートはこう漏らしている。「もし私がロシアをテーマに本を書くなら、消えた革命を、燃え尽きた大火を、いまだ熱を発する焼け跡を、たくさんの消防士を描くことになるだろう」［注1］。このメモはキエフで書かれたのだが、そのころは現代が経験した最も過激な政治転換が行われてからまだ九年しかたっていなかったのに、ロートはすでにソビエト連邦が経済的にも、精神的にも、知性という意味でも、理想という点でも、破滅の危機に瀕していることに気づいていた。

ブロディ（今のウクライナの一地方）に生まれたロートは一九二六年の夏に大手の『フランクフルター・ツァイトゥング』紙の依頼を受けて、期待に胸を膨らませて東へと旅立ったのだが、一〇月の時点ですでに幻滅を覚えていた。一九二六年の一二月半ばに、モスクワにいるロートのもとを訪れたヴァルター・ベンヤミンによると、その時点で彼の顔には「たくさんの皺が走っていた」そうだ。ロートは「根っからのボリシェヴィキとしてロシアにやってきた」のだが、その年の終わりには「王制支持者」として西に戻ってきた［注2］。このベンヤミンの言葉には悪意が含まれていることは確かだ（二人は仲が悪かった）が、それでも、ソビエトに触れたことでロートが変わってしまったことがはっきりとわかる。個人よりも平均集団の尊重、あらゆる人間関係に対する実用主義的な取り組み、欲望の否定、低俗な生物学主義による宗教の代替。これらにロートは衝撃を受けた。そこに新経済政策とクレムリンの残忍な権力闘争が加わり、先行きも不透明だった。では、彼がキエフで口にした本を書くというアイデアはその後どうなったのだろうか？

生前、ロートがロシアについて書いた草稿をまとめた本を出すことはなかった。今となっては忘れ去られてしまったレネ・フュレプ＝ミラーが一九二六年に発表した歴史的モノグラフ『ボリシェヴィズムの精神と表情』のような包括的な作品を世に送り出す野心を、ロートはもっていなかったようだ。また、エーゴン・エルヴィン・キッシュが同時代に出してベストセラーになった『皇帝、司祭、ボリシェヴィキ』のようなものを書くつもりもなかった。実際にはその逆で、ロートは自分よりも先に新生ロシアについて書いた「大慌ての記者」やそのほかの著名人の報告から、できるだけ距離を置こうとしていた。一九二六年九月二六日、彼は『フランクフルター・ツァイトゥング』の編集者宛に、ドイツ人はロシアの現実について根本的に誤解をしている、と書いている。「まるで蠅の目で人間の居住地を眺めているようだ」と。彼の考えによると、いちばんの誤りは、見たところモスクワの政府は国民の生活に何ら影響力をもっていないにもかかわらず、ソビエト連邦のことについては政治ばかりに関心が向けられていることだった［注3］。

ロートはワルシャワを経由してレニングラード、そしてモスクワへ赴き、さらにニジニ・ノヴゴロドからヴォルガ川を下ってサマラ、スターリングラード、アストラハン、最後はオデッサ、バクーそしてキエフへと旅をした。この遠征の直接の成果を「ロシア紀行」として一九二七年一月まで『フランクフルター・ツァイトゥング』に連載したのである。この紀行文は革命後の日常をまざまざと描き出している。現代人の目で見ても、外部の者にはほぼ理解不能な民族問題、自由報道の欠如、教育水準の差など、ロートが描いた数々の難問が現在でもいまだに、あるいはふたたび、差し迫った問題であることに驚かざるをえない。しかし、この一七回に及ぶ連載は、予定ではただの始まりにすぎなかった。ソビエト連邦、ガリツィア、そしてポーランドはロートを魅了しつづけた。一九三二年に発表した世紀の名作である小説『ラデツキー行進曲』を通じて、ロートはのちにオーストリア・ハンガリー二重帝国の年代記作家として国際的に有名になったが、ロシアとウクライナの過去と現在にも、極めて重要な問題として注目していたのである。

なぜならロートは当初、いかなる大衆社会も多くの危険性をはらんでいることを理解しながらも、一〇月革命のなかに、よりよい、より公平な、そしてより生きるに値する未来を見たからだ。ソビエト連邦はすべてを平均化し分解するアメリカ式工業化に、シカゴの食肉処理場に、新世界と西ヨーロッパの大都市に対抗する本当の、もしかすると唯一の選択肢ではないだろうか？　そう考えていた。それでも初めから、ロシアを美化することはなかった。ロシアが見通しのつかないほど多様であり、数多くの問題を抱えていることを知っていたからである。ロートはガリツィアでさまざまな言語や民族あるいは宗教に囲まれながら幼少時代を過ごした。その経験が彼の思考、著作、ひいては存在そのものの基礎になっていたと言える。ロートは若いジャーナリストとして一九二〇年にすでに、ポーランドとウクライナに対する個人的な関心をテーマにしていた。特に、西へと逃れ、迫害される不安から「不幸と痛みの雪崩」になったベルリンの「東欧ユダヤ人」に関心を向けた［注4］。

ロートにとって、東への旅はつねに自己発見の旅でもあった。したがって、彼の書く物語や小説の多くが、少なくとも部分的に東ヨーロッパを背景にしている事実は驚くに値しない。その代表例は一九三〇年の作品『ヨブ』だが、実際に彼の東欧傾倒をより顕著に示しているのは、あまり有名ではない二つの小説だ。一つは一九二六年のロシア旅行から生まれた『果てしなき逃走』。もう一つは『タラバス・この世の客』である。二つとも、ヒトラーが政権を掌握し、ロートの著作が焚書された一年後にアムステルダマー・クヴェリド出版から発行された。

『果てしなき逃走』は、ロシア・レポートおよび一九二七年のエッセイ『放浪のユダヤ人』と並んで、ロートがボリシェヴィズムからどれほどの影響を受けたかが最もよくわかる作品になっている。当時主流だった「新即物主義」の手法を駆使したこの小説を通じて、ロートは世界大戦によって過去とのつながりをすべて失ったある人物を描いてみせた。その人物はまさに機械のような正確さで社会のあらゆる文脈と一見相反すると思われる政治体制、特にソビエト連邦をものの見事に渡り歩くのだが、最後は完全な無力感を抱きながらパリにたどり着くのである。『フランクフルター・ツァイトゥング』に寄稿した記事で、ロートは自らのジャーナリズムを詩的、絵画的、いやそれどころか華美な文体にまで高めたのだが、それとは対照的に、小説『果てしなき逃走』の文体はまるで議事録のようだ。

このころのロートの作品を全体として眺めてみると、彼がジャーナリズムと詩作を基本的に区別していなかったことがわかる。どの文章も主題に独創性があり、わかりやすく、表現が的確だ。ルポルポルタージュに対しても、彼は小説と同じような態度で挑んだ。そのため彼は、時間が勝負の新聞からは信用されなくなったようだ。ロートは具体的な目的をもって調査することがほとんどなく、代わりに包括的な洞察を著作の最重要条件にしていた。そのため、彼の書く記事はどこにでもある記事のように単調になることも短命になることもなかった一方で、彼の仕事への取り組み方は大きな問題になった。記事がなかなかできあがらず、旅の費用もかさんでいったのである。

ソビエト連邦に入ってからおよそ二カ月後に、ロートは『フランクフルター・ツァイトゥング』の編集者に、まだ何も書き終えていないと告白している。現地で得た新しい印象があまりにも多く、かつ強烈だったからだ。「ほかの〝星〟へ行っても、ここ以上の異質さや珍しさはないだろう」［注5］。ロートはのちにベルトルト・ブレヒト、リオン・フォイヒトヴァンガー、ハインリヒ・マンとともにグスタフ・キーペンホイアー出版の中心的作家になるが、ロシアについて考えることが、人生において最も実り豊かな時期のきっかけになることを、この時期のロートはまだ気づいていなかった。

同様に、一九三三年に政治事件が起こることも、その結果が自分の人生に致命的に影響することも知らなかった。一九三四年、亡命中に完成した『タラバス』は、彼にとっていわば二作目のロシア小説であり、絶望の作品である。ロート自身はのちに失敗作と断じたが、彼はこの作品で政治的非常事態における生活を衝撃的に描き出した。『タラバス』は個人と時間に関する従来の考え方がむしばまれていく様子をまざまざと示している。権力闘争、インフレーション、通貨の導入、飢餓、食料配給、新国家の建設の物語だ。しかしこの小説の最大の、未曾有とも呼べる功績は、ロートが早くも一九三三年に、第一次世界大戦を新たなる戦争の青写真とみなしていた事実である。「プロレタリアによる独裁」は彼が国家社会主義に抱いていた恐れ――致命的な軍国主義から表現の自由の廃止、そしてユダヤ人迫害へと続く流れ――の、いわばモデルだった。もし、ロートが一九二六年の後半に長旅に出ることがなければ、この作品は生まれなかっただろう。

彼の書く紀行文は来たる三〇年代を見事に予見していた。ロートに二度の大戦間のヨーロッパ社会の変動を描く才能があったことの証明である。その際、時代に取り残された生活を送る人々、いわゆる日陰の存在に特に注目した。革命をなんとか生き延びた旧市民階級について報告したかと思えば、自ら勝ち取った権利とばかりに党が精力的に推し進める近代化に巻き込まれはじめたばかりの辺境の地に住む人々についても語る。

電化、新聞、タイプライター、電話、映画などが一気に流れ込む様子を描く一方で、地方における識字率向上計画の成功を絶賛する。彼にとってはそれらすべてが、旅の途上の自分を文学的な意味で最も刺激した、消えつつある過去の伝統と対をなす存在なのであり、混乱の原因なのだ。

その最たる例としてロートが選んだのがヴォルガ川の町、かつて漁業とキャビアで栄えたものの革命により完全に表情をなくしてしまったアストラハンだ。ほかの未発達な地域と同様アストラハンにも、近代化の先駆けとしてレーニンが(科学的ではないという意味の非難を込めて)形而上的媒体とみなした映画がやってきた。しかし映画の上映さえ、アストラハンでは刺激よりもむしろわびしさを漂わせている。公園のなかに屋根もなくスクリーンが張られ、当然のことながら魚のにおいがあたりを漂っている。魚のにおいよりもやっかいなのが蝿だ。蝿が群れをなしてあらゆるものにたかっている。アストラハンの動物界を支配するのは魚ではない、蝿なのだ! だから人々は誰もがバクーへ、カスピ海へ逃れたいと願う。でも、船はめったにやってこない。急速な社会主義的工業化と大衆社会の確立の風下で、オリエントとの境界線上で、待ちつづける人生がそこにある。

ほかの誰にもできない方法で、ロートはどうしようもなく時代遅れになったものや人々に繰り返し感心と同情を示し、ときには郷愁を感じながらも、同時にその裏の側面も暴き出し、それから発せられる脅威を、いつ剥き出しの暴力に変わるかもしれない文明の欠如を描く。ロシアが、今のウクライナにあたる地域が、いや、欧州ロシア全体が、彼には前代未聞の社会的実験室に見えた。そこでは政治・経済・技術の画期的な改革を、中世さながらの生活と衝突させ融合させる試みが行われていた。そこにロートは現代にとって最後の希望を見いだしていたのである。

一九二六年一〇月一二日に「東に最終的な別れを告げた」と書いたとき、ロートはそれまで左派あるいは先進的とみなしていたものすべてに見切りをつけた。東からは何一つ本質的なものを期待できないと感じたからである。「フランス革命とロシア革命の違いは、ヴォルテールとブハーリンの、あるいはカトリック主義とビザンチン主義の違いと同じである」[注6]。

レーニンが死んでわずか三年もたたないうちに、彼にとっては社会主義も死んだ。以前、社会民主主義の機関誌『フォアヴェールツ』に寄稿していたころ、ロートは自らを「赤いヨーゼフ」と呼ぶことがあった。しかし今となっては、そのペンネームも自分の名前を使った悪趣味な冗談でしかない。だが、芸術性という意味では、ロートはリヴィウ以東の地域との再会を通じて生まれ変わった。同時に、彼はそれまでずっと汚点と感じていたユダヤ人の子である事実を告白した。その際、ロートは厳格な「人生設計」に従っていたわけではない。友であり尊敬もしていたシュテファン・ツヴァイクに手紙でそう認めている［注7］。ただし、自分が同世代で最高の作家の一人であるという考えに疑問を抱くことはほとんどなかった。

［注］

1　ロートのロシア日記はニューヨークのレオ・ベック研究所ヨーゼフ・ボーンシュタイン・コレクションに収蔵されている。同日記は『Joseph Roth, Werke 2, Das journalistische Werk 1924-1928』（Klaus Westermann, Köln und Amsterdam 1990, p. 1007-1022）にて公開されている。ここで引用したのはその１０１８ページ。

2　Walter Benjamin: Gesammelte Schriften VI, hg. von Rolf Tiedemann und Hermann Schweppenhäuser, Frankfurt a. M. 1985, p. 311f.

3　ロートがオデッサからベルナルト・フォン・ブレンターノに伝えた言葉。引用元・・Joseph Roth, Briefe 1911-1939, hg. von Hermann Kesten, Köln und Berlin 1970, p. 95.

4　Joseph Roth, Werke 1, Das journalistische Werk 1915-1923, hg. von Klaus Westermann, Köln und Amsterdam 1989, p. 384.

5　Roth, Briefe, p. 93.（注３）

6　Roth, Werke 2, p. 1019.（注１）

7　一九三二年一一月二四日の手紙。引用元・・Joseph Roth und Stefan Zweig, »Jede Freundschaft mit mir ist verderblich«, Briefwechsel 1927-1938, hg. von Madeleine Rietra und Rainer-Joachim Siegel, Göttingen 2011, p. 85.

編集者あとがき

当時、ロートの紀行文は新聞に発表された。印刷の元になった彼自身の手による原稿は残されていない。したがって、本書の語句や表記法は――三巻に及ぶヨーゼフ・ロートのジャーナリズム作品の集大成（クラウス・ヴェスターマン編、ケルン、1989-1991）とは異なり――『フランクフルター・ツァイトゥング』と『ノイエ・ベルリーナー・ツァイトゥング一二時版』に完全に準じている。要するに、本書の作成にあたり、文面を現代風に書き換える作業は一切行わなかった。

ロートが一九二六年九月一四日から一九二七年一月一八日にかけて『フランクフルター・ツァイトゥング』に発表したロシア紀行は一七回の連載で構成され、彼のジャーナリスト作品の中心を占める。そのうちの一〇回分を本書に収録した。「ロシアの神」と「レニングラード」も一九二六年のロシア旅行における経験に基づいた作品だが、連載記事とは別に公表されたものである

謝辞

本書を製作するというアイデアは二〇一四年の春にヴァンダービルト大学で開かれたヨーゼフ・ロート・セミナーで生まれた。私を客員教授として迎え入れてくれたテネシー州ナシュヴィルの同大学、そして刺激的な討論に参加してくれた学生たち、ならびに私の同僚であるマイケ・G・ヴェルナー教授に心から感謝申し上げたい。また、ヨーゼフ・ロートの重要な遺産を管理しているマールバッハのドイツ文学アーカイブのみなさんにも感謝している。特に、ロートの記事の原典を探す手伝いをしてくれたアンドレアス・コシュリックとインターンシップの一環として細心の注意を払ってテキストの再構築をサポートしてくれたハンナ・ヴィールベルクにお礼申し上げる。

ヤン・ビュルガー、二〇一四年九月

著者紹介

ヨーゼフ・ロート

1894年、東ガリシアのブロディに生まれる。1939年、亡命先のパリで死亡。1923年からドイツの代表紙「フランクフルト新聞」の特派員となり、ヨーロッパ各地を巡ってユニークな紀行文を書き送り、売れっ子ジャーナリストとなった。その傍ら創作にも手を染め、1930年の長編小説『ヨブ——ある平凡な男のロマン』は現代のヨブ記と称された。1932年にはかつての祖国ハプスブルク帝国の没落を哀惜の念を込めて描いた『ラデツキー行進曲』を発表し、小説家ロートの名をも不動のものにした。

ヤン・ビュルガー（編集・解説）

1968年生まれ。文学研究科、小説家。文芸雑誌『リテラトゥーレン』編集者。2002年からは、マールバッハ所在のドイツ文学アーカイブにて従事。ハンス・ヘニー・ヤン、マックス・フリッシュおよびゴットフリート・ベンに関する著書の他に、『ネッカー川、ある文学旅行』がある。

訳者紹介

長谷川 圭（はせがわ・けい）

高知大学卒業後、ドイツのイエナ大学でドイツ語と英語の文法理論を専攻し、1999年に修士号取得。同大学での講師職を経たあと、翻訳家および日本語教師として独立。訳書に『樹木たちの知られざる生活』（早川書房）、『カテゴリーキング　Airbnb、Google、Uberはなぜ世界のトップに立てたのか』（集英社）、『「おいしさ」の錯覚　最新科学でわかった、美味の真実』（角川書店）、『ポール・ゲティの大富豪になる方法』（パンローリング）、『メイク・ザット・チェンジ』（日曜社、共訳）などがある。

ヨーゼフ・ロート　ウクライナ・ロシア紀行

2021年6月10日　初版第1刷発行
2022年4月10日　初版第2刷発行

著　者　ヨーゼフ・ロート
訳　者　長谷川圭
発行者　鄭基成
発行所　日曜社
〒170-0003 東京都豊島区駒込1-42-1 第3米山ビル4F
電話　090-6003-7891

カバーデザイン　岡本デザイン室
印刷・製本所　藤原印刷株式会社

ISBN 978-4-9909696-3-9